БИЛИНГВА
слушаем ▸ читаем ▸ понимаем

Марк Твен

ЛУЧШИЕ ЮМОРИСТИЧЕСКИЕ РАССКАЗЫ

Mark Twain
FIVE BEST HUMOROUS STORIES

МОСКВА

ЭКСМО

2011

УДК 373.167.1:811.111
ББК 81.2Англ-я7
Т 26

Перевод с английского *Е. В. Кайдаловой*
Составление словаря, упражнений и комментариев *Е. В. Карпенко*
Иллюстрации *Е. В. Пуляевой*

Твен М.

Т 26   Лучшие юмористические рассказы : [парал. текст на англ. и рус. яз. : учебное пособие] / Марк Твен ; пер. с англ. Е. В. Кайдаловой ; [словарь, упражнения, коммент. Е. В. Карпенко ; ил. Е. В. Пуляевой]. — М. : Эксмо, 2011. — 192 с. : ил. + CD-ROM. — (Билингва. Слушаем, читаем, понимаем).

ISBN 978-5-699-27081-1

Данный комплект из книги и аудиодиска включает в себя пять избранных юмористических рассказов Марка Твена. Читателям предлагаются неадаптированные тексты рассказов на английском языке и их параллельный перевод на русский. На аудиодиске носителем языка записаны оригинальные тексты рассказов. Можно также прослушать рассказы и на русском языке в классическом переводе и сопоставить английскую и русскую версии. Читая и слушая тексты на языке оригинала, сравнивая их с переводом на русский, можно по достоинству оценить мастерство писателя и одновременно улучшить свои навыки чтения, восприятия на слух иностранной речи и перевода.

Для облегчения понимания текста предлагаются упражнения и словарь.

Книга будет интересна и полезна школьникам, абитуриентам, студентам, преподавателям, а также всем, кто изучает английский язык самостоятельно.

УДК 373.167.1:811.111
ББК 81.2Англ-я7

Учебное издание

БИЛИНГВА. СЛУШАЕМ, ЧИТАЕМ, ПОНИМАЕМ

Марк Твен

ЛУЧШИЕ ЮМОРИСТИЧЕСКИЕ РАССКАЗЫ

Директор редакции *Л. Бершидский.* Ответственный редактор *А. Жилинская*
Ведущий редактор *Н. Уварова.* Редактор *Е. Мирославская*
Художественный редактор *С. Лебедева.* Дизайн обложки *А. Смирнов*
Верстка *С. Марченко.* Корректор *К. Варавина*

ООО «Издательство «Эксмо»
127299, Москва, ул. Клары Цеткин, д. 18/5. Тел. 411-68-86, 956-39-21.
Home page: **www.eksmo.ru**   E-mail: **info@eksmo.ru**

Подписано в печать 30.11.2010.
Формат 60×90 ¹/₁₆. Печать офсетная. Бумага тип. Усл. печ. л. 12,0.
Доп. тираж 3000 экз. Заказ № 9663

Отпечатано с готовых файлов заказчика в ОАО «ИПК
«Ульяновский Дом печати». 432980, г. Ульяновск, ул. Гончарова, 14

ISBN 978-5-699-27081-1

ISBN 978-5-699-27081-1

Contents

Running For Governor
Как я баллотировался в губернаторы

A few months ago *I was nominated for* Governor of the great State of New York, to run against Mr Stewart L. Woodford and Mr John T. Hoffman on *an independent ticket*. I somehow felt that I had one prominent advantage over these gentlemen and that was *good character*. It was easy to see by the newspapers that, if ever they had known what it was to bear a good name, that time had gone by. It was plain that in these latter years they had become familiar with all manner of shameful crimes. But at the very moment that I was exalting my advantage and joying it in secret, there was a muddy undercurrent of discomfort "riling" the deeps of my happiness, and that was *the having to hear my name bandied about in familiar connection with those of such people*. I grew more and more disturbed. Finally I wrote my grandmother about it. Her answer came quick and sharp. She said:

"You have never done a single thing in all your life to be ashamed of, not one. Look at the newspapers, look at them and comprehend what sort of characters Messrs Woodford and Hoffman are, and then see if you are willing to lower yourself to their level and enter a public canvass with them."

Несколько месяцев назад *я был зарегистрирован* кандидатом на пост губернатора от великого штата Нью-Йорк. Моими соперниками *по независимому списку* были Стюарт Л. Вудфорд и Джон Т. Хоффман. Главным моим преимуществом перед этими двумя джентельменами я считал свое *доброе имя*. Ведь как утверждалось в газетах, оба моих конкурента давно позабыли о том, что такое хорошая репутация (если, конечно, вообще когда-либо об этом знали). Было очевидно, что за последние годы они запятнали себя всеми мыслимыми и немыслимыми позорными деяниями. Но, хоть я и радовался втайне своему преимуществу, вершины моего ликования все же подмывал один мутный ручеек: *теперь мое имя будет упоминаться в тесной связи с именами таких людей*. Это все больше и больше мучило меня, пока, наконец, я не написал обо всем своей бабушке. Ее ответ был скор и резок. Вот что она отвечала:

За всю свою жизнь ты не совершил ничего, чего мог бы стыдиться, ничего! А теперь взгляни в газеты и осознай, что за типы эти Вудфорд и Хоффман. Неужели ты желаешь опуститься до их уровня и вместе с ними перетягивать канат общественного мнения?

It was my very thought. I did not sleep a single moment that night. But after all I could not recede. I was fully committed, and must go on with the fight.

As I was looking listlessly over the papers at breakfast I *came across* this paragraph, and I may truly say I never was so confounded before:

"PERJURY. Perhaps, *now that* Mr Mark Twain is before the people as a candidate for Governor, he will condescend to explain how he came to be convicted of perjury by thirty-four witnesses in Wakawak, Cochin China, in 1863, the intent of which perjury being to rob a poor native widow and her helpless family of a meagre plantain-patch, their only stay and support in their bereavement and desolation. *Mr Twain owes it to himself, as well as* to the great people whose suffrages he asks, to clear this matter up. Will he do it?"

I thought I should burst with amazement! Such a cruel, heartless charge! I never had seen Cochin China! I never had heard of Wakawak! *I didn't know* a plantain-patch from a kangaroo! I did not know what to do. I was crazed and helpless. I let the day slip away without doing anything at all. The next morning the same paper had this — *nothing more*:

"SIGNIFICANT. Mr Twain, it will be observed, is suggestively silent about the Cochin China perjury."

[Mem. During the rest of the campaign this paper never referred to me *in any other way than as* "the infamous perjurer Twain."]

Это полностью совпало с моими мыслями! Я всю ночь не сомкнул глаз, но в итоге решил, что отступать нельзя. Я уже принял на себя определенные обязательства, а значит, должен принимать бой!

Поутру, когда я небрежно просматривал за завтраком газеты, я вдруг *наткнулся* на одну заметку, и, скажу честно, еще ни разу в жизни я не был так ошеломлен:

ЛЖЕСВИДЕТЕЛЬСТВО. Возможно, *сейчас, когда* этот Марк Твен предстал перед людьми как претендент на пост губернатора, он снизойдет до объяснения того, почему целых 34 свидетеля обвинили его однажды в даче ложных показаний. Произошло это в Вакаваке, Китай, в 1863 году; целью лжесвидетельства была попытка отсудить у бедной вдовы и ее беззащитных детей скудный клочок земли с несколькими банановыми деревьями, единственное средство к существованию для этого обездоленного семейства. *Долг Марка Твена как перед самим собой, так и* перед теми гражданами, чьи голоса он хочет получить, рассказать всю правду о случившемся. Только вот сделает ли он это?

Я думал, что сейчас разорвусь от возмущения! Какое жестокое, бессердечное обвинение — ведь я ни разу не был в Китае! Я и не слыхал об этом Вакаваке! *Я не отличу* банановую пальму от кенгуру! Что делать, я не знал. Голова у меня шла кругом, руки опускались. День пролетел, а я так ничего и не предпринял. На следующее утро та же самая газета выдала следующее, *ни больше, ни меньше*:

ИЗБИРАТЕЛЮ НА ЗАМЕТКУ. Как мы видим, мистер Твен многозначительно молчит о своем лжесвидетельстве в Китае.

[Кстати: на протяжении всей остальной кампании, эта газета отзывалась обо мне *не иначе, как* «Небезызвестный Лжесвидетель Твен».]

Next came the Gazette, with this:

"WANTED TO KNOW. Will the new candidate for Governor deign to explain to certain of his fellow-citizens (who are suffering to vote for him!) the little circumstance of his cabin-mates in Montana losing small valuable from time to time, until at last, these things having been invariably found on Mr Twain's person or in his 'trunk' (newspaper he rolled his traps in), they felt compelled to give him a friendly admonition for his own good, and so tarred and feathered him, and rode him on a rail, and then advised him *to leave a permanent vacuum* in the place he usually occupied in the camp. Will he do this?"

Could anything be more deliberately malicious than that? For I never was in Montana in my life.

[After this, this journal customarily spoke of me as "Twain, the Montana Thief."]

I got to picking up papers apprehensively — much as one would lift a desired blanket which he had some idea might have a rattlesnake under it. One day this met my eye:

"THE LIE NAILED. By the sworn affidavits of Michael O'Flanagan, Esq., of the Five Points, and Mr Kit Burns and Mr John Allen, of Water Street, it is established that Mr Mark Twain's vile statement that the lamented grandfather of our noble standard-bearer, John T. Hoffman, was hanged for highway robbery, is a brutal and gratuitous LIE, without a single shadow of foundation in fact. It is disheartening to virtuous men to see *such shameful means resorted to achieve political success* as the attacking of the dead in their graves, and defiling their honored names with slander. When we think of the anguish this miserable falsehood must cause the innocent relatives and friends of the deceased, we

Вслед за ней выступила «Газетт» со следующей статейкой:

ТРЕБУЕМ ОТВЕТА. Не объяснит ли новый кандидат в губернаторы тем из своих сограждан, кто умирает от желания отдать за него голоса, один небольшой инцидент, произошедший с ним в Монтане? Да-да, тот самый, когда у людей, живших с ним под одним кровом, время от времени пропадали разные ценные вещицы, а потом обнаруживались или на мистере Твене лично, или в его «хоботе» — свернутой в трубочку газете, куда он засовывал свои пожитки. В результате, для его же собственного блага, товарищи вынуждены были устроить ему дружеское внушение — вывалять в смоле и перьях, посадить на забор и посоветовать навсегда *оставить* в их лагере вместо себя *пустое место*. Услышим ли мы объяснения?

Можно ли было придумать худшую ложь, чем эта? Я ведь сроду не был в Монтане.

[С тех пор этот журнал обычно называл меня «Твен, Монтанский Вор».]

Я начал с большой осторожностью браться за газеты — как человек, который поднимает одеяло, боясь обнаружить там гремучую змею. Однажды мой взгляд зацепился за следующий заголовок:

ЛЖЕЦ УЛИЧЕН! Господин Майкл О'Флэнеген, эсквайр, проживающий в Файв Пойнтс, а также господа Кит Бернс и Джон Эллен с Уотер Стрит под присягой показали, что гнусное заявление мистера Твена, в котором он назвал покойного дедушку нашего глубокоуважаемого Джона Хоффмана «когда-то повешенным бандитом с большой дороги», является злобной, полностью надуманной ложью, не имеющей под собой никакого основания. Сердца добропорядочных людей разрываются при виде того, *какие позорные средства кое-кто пускает в ход во имя политического успеха.* Он нападает на мертвецов в их собственных могилах и пятнает грязью их славные имена. Стоит нам подумать о той

are almost driven to incite an outraged and insulted public to summary and unlawful vengeance upon the traducer. But no! Let us leave him to the agony of a lacerated conscience (though, *if passion should get the better of the public*, and in its blind fury they should do the traducer bodily injury, it is but too obvious that no jury could convict and no court punish the perpetrators of the deed)."

The ingenious closing sentence had the effect of moving me out of bed with despatch that night, and out at the back-door also, while the "outraged and insulted public" surged in the front way, breaking furniture and windows in their righteous indignation as they came, and taking off such property as they could carry when they went. And yet I can lay my hand upon the Book and say that I never slandered Governor Hoffman's grandfather. More, I had never even heard of him or mentioned him up to that day and date.

[*I will state, in passing*, that the journal above quoted from always referred to me afterward as "Twain, the Body-Snatcher."]

The next newspaper article that attracted my attention was the following:

"A SWEET CANDIDATE. Mr Mark Twain, who was to make such a blighting speech at the mass meeting of the Independents last night, didn't come to time! A telegram from his physician stated that he had been knocked down by a runway team, and his leg broken in two places, sufferer lying in great agony, and so forth, and so forth, and a lot more bosh of the same sort. And the Independents tried hard to swallow the wretched subterfuge, and pretend that they did not know what was the real reason of the absence of the abandoned creature whom they denominate their standard-bearer.

боли, которая должна сейчас терзать невинных друзей и родственников покойного, как мы едва удерживаемся от призыва к разъяренной и оскорбленной общественности: «Клеветник заслуживает возмездия!» Но нет — оставим его мукам его нечистой совести! (Хотя, *если праведный гнев, охвативший общественность*, приведет к телесным повреждениям клеветника, то совершенно очевидно, что ни один суд не сочтет это преступлением и не накажет мстителей.)

Хитроумное заключительное предложение привело к тому, что ночью мне пришлось выскакивать из постели и спасаться из дома через черный ход, в то время как «разъяренная и оскорбленная общественность» вломилась в парадную дверь, круша в своем праведном гневе мебель и высаживая окна, а также забирая все ценное, что можно было унести с собой. И все же, положа руку на библию, я могу поклясться, что я никогда не пятнал грязью дедушку губернатора Хоффмана. Более того: я никогда и не слышал о нем вплоть до того дня.

[*Попутно замечу*, что в дальнейшем вышеупомянутый журнал ссылался на меня так: «Твен, Осквернитель Праха».]

Следующая статья, привлекшая мое внимание, была такова:

МИЛЫЙ КАНДИДАТИК. Марк Твен, собиравшийся вчера вечером выступить с разгромной речью на собрании независимых кандидатов, не пришел в назначенное время! Телеграмма от его врача утверждала, что он был сбит с ног толпой сбежавших каторжников, что его нога была сломана в двух местах, что несчастный страдалец ужасно мучается, и так далее и так далее. Независимые изо всех сил пытались выдать это за чистую монету и притворялись, что они действительно не знают, где шатается это несчастное создание, которое они выставляют носителем своих идеалов.

A certain man was seen to reel into Mr Twain's hotel last night *in a state of beastly intoxication*. It is the imperative duty of the Independents to prove that this besotted brute was not Mark Twain himself. We have them at last! This is a case that admits of no shirking. The voice of the people demands in thundertones, 'Who was that man?'"

It was incredible, absolutely incredible, for a moment, that it was really my name that was coupled with this disgraceful suspicion. Three long years had passed over my head since I had tasted ale, beer, wine or liquor of any kind.

[It shows what effect the times were having on me when I say that I saw myself confidently dubbed "Mr Delirium Tremens Twain" in the next issue of that journal without a pang — notwithstanding I knew that with monotonous fidelity the paper would go on calling me so to the very end.]

By this time anonymous letters were getting to be an important part of my mail matter. This form was common:

How about that old woman you kicked off your premises which was begging? POL PRY.

And this:

There is things which you have done which is unbeknowens to anybody but me. *You better trot out a few dols*, to yours truly, or you'll hear through the papers from HANDY ANDY.

This is about the idea. I could continue them till the reader was surfeited, if desirable.

Shortly the principal Republican journal "convicted" me of wholesale bribery, and the leading Democratic

А между тем некий человек приполз прошлой ночью в гостиницу, где живет мистер Твен, *в дрезину пьяным*. Теперь Независимые просто обязаны доказать, что эта в усмерть упившаяся свинья был не Твен. Наконец-то мы до них добрались! Никакого увиливания! Глас народа вопиет: «КТО БЫЛ ЭТОТ ЧЕЛОВЕК?»

Это было невероятно, совершенно невероятно, что мое имя действительно оказалось сопряжено с таким позорным подозрением. Уже три долгих года пронеслось над моей головой с тех пор, как я в последний раз пригубил эль, пиво, вино или любой другой алкогольный напиток.

[И вот до чего довел меня горький опыт! Едва в следующем выпуске этой газеты я увидел свое новое доверительное прозвище: «Твен-Мордой В Грязь», я уже понял, что это издание будет упорно звать меня так до самого конца.]

К тому моменту значительную часть моей почты стали составлять анонимки. Например, такие:

Как насчет старушки, которой вы дали пинок, а она у вас подаяния просила? Наблюдатель.

Или такие:

Кое-какие ваши делишки известны мне одному. *Вы бы раскошелились немного*, а то ведь я и газетам могу рассказать. Энди-Рука Руку Моет.

Вот так, *в общих чертах*. Если читателю угодно, я мог бы продолжать до бесконечности.

Вскоре главный орган печати Республиканцев «обвинил» меня в даче взяток в особо крупных размерах,

paper "nailed" and aggravated case of blackmailing to me.

[In this way I acquired two additional names: "Twain, the Filthy Corruptionist," and "Twain, *the Loathsome Embracer.*"]

By this time there had grown to be such a clamour for an "answer" to all the dreadful charges that were laid to me that the editors and leaders of my party said it would be political ruin for me to remain silent any longer. *As if to make their appeal the more imperative*, the following appeared in one of the papers the very next day:

"BEHOLD THE MAN! The Independent candidate still maintains silence. Because he dare not speak. Every accusation against him has been amply proved, and they have been endorsed and reendorsed by his own eloquent silence, till at this day he stands forever convicted. Look upon your candidate, Independents! Look upon the Infamous Perjurer! The Montana Thief! The Body-Snatcher! Contemplate your incarnate Delirium Tremens! Your Filthy Corruptionist! Your Loathsome Embracer! Gaze upon him, ponder him well, and then say if you can give your honest votes to a creature who has earned this dismal array of titles by his hideous crimes, and dare not open his mouth in denial of any one of them!"

There was no possible way of getting out of it, and so in deep humiliation, I set about preparing to "answer" a mass of baseless charges and mean and wicked falsehoods. But I never finished the task, for the very next morning a paper came out with a new horror, a fresh malignity, and seriously charged me with burning a lunatic asylum with all his inmates, because it obstructed the view from my house. This threw me into

а ведущая газета Демократов приписала мне шантаж с отягчающими обстоятельствами.

[Благодаря этому я приобрел еще два имени: «Твен, Погрязший В Коррупции» и «Твен, *Гнусный Вымогатель*».]

К этому моменту поток выливаемой на меня грязи дошел до таких размеров, что дать отпор клеветникам стало жизненно необходимо. И редакторы, и лидеры моей партии в один голос заявляли, что хранить молчание и дальше будет для меня политическим самоубийством. *Как если бы для того, чтобы усилить их призыв*, на следующий день в одной из газет появилось следующее:

ПОСМОТРИТЕ-КА НА НЕГО! Независимый кандидат все еще хранит молчание. Потому что говорить он не осмеливается. Каждое обвинение в его адрес было многократно подтверждено, а лучше всего их подтверждает его красноречивое молчание. Он заклеймен навсегда. Посмотрите на вашего кандидата, Независимые! Взгляните на вашего Небезызвестного Лжесвидетеля! Монтанского Вора! Осквернителя Праха! Полюбуйтесь, вот уж истинный Мордой В Грязь этот ваш Погрязший В Коррупции Гнусный Вымогатель! Рассмотрите его хорошенько, а затем спросите себя, готовы ли вы отдать свои честные голоса за эту тварь, которая заслужила все свои уничижительные клички скрывавшимися до сих пор преступлениями, и рот не осмеливается раскрыть, чтобы опровергнуть хоть одно из обвинений!

Выхода не было, и, глубоко униженный, я принялся готовить «ответ» на все беспочвенные наветы и подлые инсинуации. Но закончить работу мне не пришлось: на следующее утро появилась газета с кошмарной свежей фальшивкой. Меня обвиняли в том, что я спалил сумасшедший дом со всеми его обитателями, потому что он портил мне вид из окон. Не успел я оправиться от ужаса,

a sort of panic. Then came the charge of poisoning my uncle *to get his property*, with an imperative demand that the grave should be opened. This drove me to the verge of distraction. On top of this I was accused of employing toothless and incompetent old relatives to prepare the food for the foundling hospital when I was warden. I was wavering. And at last, *as a due and fitting climax to the shameless persecution* that party rancour had inflicted upon me, nine little toddling children, of all shades of colour and degrees of raggedness, were taught to rush on to the platform at a public meeting, and clasp me around the legs and *call me PA!*

I gave up. *I hauled down my colors and surrendered*. I was not equal to the requirements of a Gubernatorial campaign in the State of New York, and so I sent in my *withdrawal* from the candidacy, and in bitterness of spirit signed it,

"Truly yours, once a decent man, but now "Mark Twain, I. P., M. T., B. S., D. T., F. C, and L. E."

как узнал, что отравил собственного дядю, *дабы завладеть его имуществом*; автор статьи настоятельно требовал эксгумации тела. Это довело меня до грани нервного срыва. Кроме того, мне приписали трудоустройство беззубых старых родственников для приготовления пищи в приюте для сирот, попечителем которого я, якобы, тогда являлся. Тут я дрогнул. Но *достойным финалом этой травли* стала моя последняя встреча с избирателями: на платформу, где я выступал, вскарабкались девять маленьких оборвышей всех цветов кожи, и облепили мои ноги *с криками «Папа!»*

Я сдался. *Я опустил свои флаги и пошел в отступление.* Я не соответствовал требованиям избирательной кампании в штате Нью-Йорк, посему я объявил о *снятии* своей кандидатуры и с горечью подписался:

«Искренне ваш, когда-то честный человек, а ныне Небезызвестный Лжесвидетель, Монтанский Вор, Осквернитель Праха, Мордой В Грязь, Погрязший В Коррупции, Гнусный Вымогатель МАРК ТВЕН».

The Stolen White Elephant
Похищение белого слона

[Left out of A Tramp Abroad, because it was feared that some of the particulars had been exaggerated, and that others were not true. Before these suspicions had been proven groundless, the book had gone to press. — M. T.]

The following curious history was related to me by a *chance* railway acquaintance. He was a gentleman more than seventy years of age, and his thoroughly good and gentle face and earnest and sincere manner imprinted the unmistakable stamp of truth upon every statement which fell from his lips. He said:

You know *in what reverence* the royal white elephant of Siam is held by the people of that country. You know it is sacred to kings, only kings may possess it, and that it is, indeed, in a measure even superior to kings, since it receives not merely honor but worship. Very well; five years ago, when the troubles concerning the frontier line arose between Great Britain and Siam, it was presently manifest that Siam had been in the wrong. Therefore every reparation was quickly made, and the British representative stated that he was satisfied and the past should be forgotten. This greatly relieved the King of Siam, and partly as a token of gratitude, partly also, perhaps, to wipe out any little remaining vestige of unpleasantness which England might feel toward him, he wished to send the Queen a present —

Cледующую занимательную историю поведал мне один случайный попутчик. Это был господин старше семидесяти лет, чье приятное благородное лицо вкупе с честностью и искренностью в голосе безошибочно обличали правду в каждом слове, слетавшем с его губ. Вот что он рассказал:

Вы, должно быть, знаете, *с каким благоговением* жители Сиама относятся к королевскому белому слону. Вы знаете, что он является святыней для королей, только короли и могут им владеть; но слон в какой-то степени затмевает собой даже королей, поскольку окружен не только почитанием, но прямо-таки поклонением. Так вот, лет пять назад, когда между Великобританией и Сиамом начались приграничные конфликты, сразу стало очевидно, что претензии Сиама необоснованны. Посему с сиамской стороны была срочно внесена контрибуция, а британский представитель в Сиаме, оставшийся ею вполне доволен, постановил, что прошлое подлежит забвению. Для короля Сиама это стало огромным облегчением, и, отчасти в знак благодарности, отчасти для того, чтобы не оставлять

the sole sure way of propitiating an enemy, according to Oriental ideas. This present ought not only to be a royal one, but transcendently royal. Wherefore, what offering could be so meet as that of a white elephant? My position in the Indian civil service was such that I was deemed peculiarly worthy of the honor of conveying the present to Her Majesty. A ship was fitted out for me and my servants and the officers and attendants of the elephant, and in due time I arrived in New York harbor and placed my royal charge in admirable quarters in Jersey City. It was necessary to remain awhile in order to recruit the animal's health before resuming the voyage.

All went well during a fortnight — then my calamities began. The white elephant was stolen! I was called up *at dead of night* and informed of this fearful misfortune. For some moments I was beside myself with terror and anxiety; I was helpless. Then I grew calmer and collected my faculties. I soon saw my course — for, indeed, there was but the one; course for an intelligent man to pursue. Late as it was, I flew to New York and got a policeman to conduct me to the headquarters of the detective force. Fortunately I arrived in time, though the chief of the force, the celebrated Inspector Blunt was just on the point of leaving for his home. He was a man of middle size and compact frame, and when he was thinking deeply he had a way of knitting his brows and tapping his forehead reflectively with his finger, which impressed you at once with the conviction that you stood in the presence of *a person of no common order*. The very sight of him gave me confidence and made me hopeful. I stated my errand. It did not flurry him in the least; it had no more visible effect upon his iron self-possession than if

у Британии ни малейшего неприятного осадка в связи с инцидентом, он пожелал послать королеве подарок — по восточным представлениям *это единственный способ задобрить врага*. Такому подарку надлежит быть не просто королевским, а сверхкоролевским. Что же могло подойти для этой цели лучше, чем белый слон? Моя должность на гражданской службе в Индии была такова, что меня сочли полностью соответствующим высокой миссии — доставить подарок Ее Величеству. Для меня, моих слуг, офицеров и тех, кто ухаживал за слоном, был выделен корабль; в положенное время я прибыл в гавань Нью-Йорка и разместил свой королевский груз в достойном восхищения пакгаузе в Джерси Сити. Прежде, чем возобновить путешествие, слону требовалась передышка для восстановления здоровья.

Недели две все шло хорошо, а затем начался мой кошмар. Белый слон был похищен! *Посреди ночи* меня подняли с постели и сообщили о случившейся беде. На несколько мгновений рассудок у меня помутился от страха и волнения; ничто не могло мне помочь. Затем я взял себя в руки и немного успокоился. Я понял, что следует предпринять — и любой здравомыслящий человек на моем месте предпринял бы то же самое. Несмотря на глубокую ночь, я примчался в Нью-Йорк и попросил полицейского отвести меня в Главное Управление по делам сыска. К счастью, я прибыл как раз в тот момент, когда знаменитый инспектор Блант как раз собирался перешагнуть порог, чтобы идти домой. Он был человеком средних размеров и занимал компактный участок пространства; когда он уходил в глубокие раздумья, то имел привычку хмурить брови и задумчиво постукивать себя по лбу пальцем, благодаря чему вы сразу же осознавали, в присутствии какого *выдающегося человека* находитесь. Один его вид придавал мне уверенности и вселял надежду. Я изложил свою проблему. Она ни на секунду не привела его в замешательство и не поколебала его железное самообла-

I had told him somebody had stolen my dog. He motioned me to a seat, and said, calmly:

"Allow me to think a moment, please."

So saying, he sat down at his office table and leaned his head upon his hand. Several clerks were at work at the other end of the room; the scratching of their pens was all the sound I heard during the next six or seven minutes. Meantime the inspector sat there, buried in thought. Finally he raised his head, and there was that in the firm lines of his face which showed me that his brain had done its work and his plan was made. Said he, and his voice was low and impressive:

"This is no ordinary case. Every step must be warily taken; each step must be made sure before the next is ventured. And secrecy must be observed — secrecy profound and absolute. Speak to no one about the matter, not even the reporters. *I will take care of them*; I will see that they get only what it may suit my ends to let them know." He touched a bell; a youth appeared. "Alaric, tell the reporters to remain for the present." The boy retired.

"Now let us proceed to business, and systematically. Nothing can be accomplished in this trade of mine without strict and *minute method*."

He took a pen and some paper. "Now, name of the elephant?"

"Hassan Ben Ali Ben Selim Abdallah Mohammed Moist Alhammal Jamsetjejeebhoy Dhuleep Sultan Ebu Bhudpoor."

дание; столь же невозмутимо он мог бы выслушать и о краже моей собаки. Он указал мне на стул и спокойно сказал:

— Дайте-ка мне немного подумать.

Произнеся эти слова, он сел за стол и подпер голову рукой. В противоположном конце комнаты работали несколько клерков, и скрип их перьев был единственным звуком, который я слышал на протяжении следующих шести-семи минут. Все это время инспектор сидел, погруженный в раздумья. Наконец он поднял голову, и было нечто в твердых чертах его лица, что ясно говорило: мозг проделал свою работу, и план готов. Он заговорил, и голос его был низким и внушительным:

— Это — необычный случай. Нужно взвесить каждый шаг; каждый шаг должен быть сделан со всей осторожностью, прежде чем мы решимся на следующий. И еще: должна быть соблюдена секретность, полная и абсолютная секретность. Никому не рассказывайте об этом деле, даже репортерам. *С ними я сам разберусь.* Я прослежу, чтобы они получали только ту информацию, которая мне выгодна. — Он позвонил в колокольчик; появился посыльный. — Элэрик, скажи репортерам, чтобы они задержались. — Мальчик ушел.

— А теперь перейдем к делу, и будем работать по всем правилам. В моей профессии ничего не добиться без строгой и *тщательной методики.*

Он достал карандаш и бумагу. — Прежде всего: имя слона?

— Гасан Бен али Бен Селим Абдаллах Мухаммед Моисей Альхаммал Джемсетджеджибхой Дхулип Султан Эбу Бхудпоор.

"Very well. Given name?"

"Jumbo."

"Very well. Place of birth?"

"The capital city of Siam."

"Parents living?"

"No, dead."

"Had they any other issue besides this one?"

"None. He was an only child."

"Very well. *These matters are sufficient under that head.* Now, please, describe the elephant, and *leave out no particular*, however insignificant — that is, insignificant from your point of view. To me in my profession there are no insignificant particulars; they do not exist."

I described, he wrote. When I was done, he said:

"Now listen. If I have made any mistakes, correct me."

He read as follows:

"Height, 19 feet; length from apex of forehead to insertion of tail, 26 feet; length of trunk, 16 feet; length of tail, 6 feet; total length, including trunk and tail, 48 feet; length of tusks, 9 feet; ears keeping with these dimensions; footprint resembles the mark left when one up-ends a barrel in the snow; the color of the elephant, a dull white; has a hole the size of a plate in each ear for the insertion of jewelry and

— Отлично. А уменьшительное?

— Джамбо.

— Отлично. Место рождения?

— Столица Сиама.

— Родители живы?

— Он сирота.

— А кроме него у них было потомство?

— Нет, он был единственным ребенком.

— Отлично. *Эти детали многое значат.* А теперь, пожалуйста, опишите слона, и *не упустите ни единой подробности*, какой бы незначительной она вам не показалась. В моей профессии незначительного не существует.

Я описал, он записал. Когда я закончил, он сказал:

— А теперь послушайте. Если я ошибусь, поправьте меня.

Он прочел следующее:

«Рост — 19 футов; длина от основания хобота до основания хвоста — 26 футов; длина хобота — 16 футов; длина хвоста — 6 футов; общая длина, включая хобот и хвост — 48 футов; длина бивней — 9 футов; уши — таких же пропорций; отпечатки ног похожи на те, что получаются, если бочку поставить стоймя в снег; цвет слона — грязно-белый; в каждом ухе имеется дырка размером

possesses the habit in a remarkable degree of squirting water upon spectators and of maltreating with his trunk not only such persons as he is acquainted with, but even entire strangers; limps slightly with his right hind leg, and has a small scar in his left armpit caused by a former boil; had on, when stolen, a castle containing seats for fifteen persons, and a gold-cloth saddle-blanket the size of an ordinary carpet."

There were no mistakes. The inspector touched the bell, handed the description to Alaric, and said:

"Have fifty thousand copies of this printed at once and mailed to every detective office and pawnbroker's shop on the continent." Alaric retired. *"There — so far, so good.* Next, I must have a photograph of the property."

I gave him one. He examined it critically, and said:

"It must do, since we can do no better; but he has his trunk curled up and tucked into his mouth. That is unfortunate, and is calculated to mislead, for of course he does not usually have it in that position." He touched his bell.

"Alaric, have fifty thousand copies of this photograph made the first thing in the morning, and mail them with the descriptive circulars."

Alaric retired to execute his orders. The inspector said:

"It will be necessary to offer a reward, of course. Now as to the amount?"

в тарелку для украшений; имеет привычку окатывать зрителей водой и колотить хоботом не только тех, с кем он знаком, но и совершенно незнакомых людей; немного припадает на правую заднюю ногу, на левом предплечье, под мышкой — шрам от старого прыщика; в момент кражи на нем находился павильон на пятнадцать мест и золотая попона размером с ковер».

Ошибок не было. Инспектор позвонил в колокольчик, вручил описание Элэрику и сказал:

— Это нужно срочно отпечатать в количестве пятьдесят тысяч экземпляров и разослать по всем полицейским участкам и ломбардам на континенте. — Элэрик ушел. — *Пока что все идет по плану.* Теперь мне нужна фотография вашей собственности.

Я дал ему фотографию. Он критически осмотрел ее и сказал:

— *Сойдет за неимением лучшего;* но здесь у него хобот согнут и засунут в рот. Этим он намеревается сбить нас с толку, поскольку вряд ли он постоянно держит хобот в таком положении. — Он позвонил в колокольчик.

— Элэрик, проследи, чтобы утром отпечатали пятьдесят тысяч копий этой фотографии и разошли вместе с описанием.

Элэрик отправился выполнять приказания. Инспектор сказал:

— Конечно, будет необходимо предложить награду. Сколько вы не пожалеете?

"What sum would you suggest?"

"To begin with, I should say — well, twenty-five thousand dollars. It is an intricate and difficult business; there are a thousand avenues of escape and opportunities of concealment. These thieves have friends and pals everywhere..."

"Bless me, do you know who they are?"

The wary face, *practised in concealing the thoughts and feelings within*, gave me no token, nor yet the replying words, so quietly uttered:

"Never mind about that. I may, and I may not. We generally gather a pretty shrewd inkling of who our man is by the manner of his work and *the size of the game he goes after*. We are not dealing with a pickpocket or a hall thief now, *make up your mind to that*. This property was not 'lifted' by a novice. But, as I was saying, considering the amount of travel which will have to be done, and the diligence with which the thieves will cover up their traces as they move along, twenty-five thousand may be too small a sum to offer, yet I think it worthwhile to start with that."

So we determined upon that figure as a beginning. Then this man, whom nothing escaped which could by any possibility be made to serve as a clue, said:

"There are cases in detective history to show that criminals have been detected through peculiarities, in their appetites. Now, what does this elephant eat, and how much?"

— А сколько вы посоветуете не пожалеть?

— Ну, я бы начал... э-э-э, с двадцати пяти тысяч долларов. Это хитросплетенный бизнес; существуют тысячи способов увернуться и возможностей скрыться. У этих воров дружки повсюду...

— О, Боже, вы знаете, кто они?

Непроницаемое лицо, *привыкшее не обнаруживать свои мысли и чувства*, не дало мне на это никакого ответа; ответом не стали даже слова:

— Забудьте об этом. Может быть, я знаю, а может быть, и нет. Обычно мы получаем очень точную наводку на преступника, исходя из стиля его работы и *размера его дичи*. Карманники и магазинные воры — не наши клиенты, *имейте это в виду*. Ваше имущество «свистнул» не новичок. Но, как я и говорил, учитывая объем пути, который предстоит проделать, и тщательность, с которой ворам придется заметать следы, двадцать пять тысяч могут оказаться слишком небольшой суммой; все же я думаю, начать нужно с этого.

В итоге мы сошлись на том, что обозначенная сумма будет только началом. Затем этот человек, от которого ничего не ускользало, и который во всем был готов увидеть ключ к разгадке, сказал:

— История сыска знает случаи, когда личность преступника устанавливали по его гастрономическим вкусам. Итак: что и в каком объеме ест этот слон?

"Well, as to what he eats, he will eat anything. He will eat a man, he will eat a Bible — he will eat anything between a man and a Bible."

"Good, very good, indeed, but too general. Details are necessary — details are the only valuable things in our trade. Very well, as to men. At one meal — or, if you prefer, during one day — how many men will he eat, *if fresh?*"

"He would not care whether they were fresh or not; at a single meal he would eat five ordinary men."

"Very good; five men; we will put that down. What nationalities would he prefer?"

"He is indifferent about nationalities. He prefers acquaintances, but is not prejudiced against strangers."

"Very good. Now, as to Bibles. How many Bibles would he eat at a meal?"

"He would eat an entire edition."

"It is hardly succinct enough. Do you mean *the ordinary octavo, or the family illustrated?*"

"I think he would be indifferent to illustrations that is, I think he would not value illustrations *above simple letterpress.*"

"No, *you do not get my idea.* I refer to bulk. The ordinary octavo Bible weighs about two pounds and a half, while the

— Ну, что касается еды — ест он все. Он съест человека, он съест библию, он съест что угодно в промежутке между человеком и библией.

— Отлично, просто отлично, но слишком в общих чертах. Необходимы детали; детали — это единственное, что в нашем деле заслуживает внимания. Отлично... что касается людей. За один прием пищи, или, если вам легче посчитать, — за один день, сколько людей он может съесть *в свежем виде?*

— Его не волнует, свежие они, или нет; за один прием пищи он съедает пятерых среднего размера.

— Отлично, так и запишем — пятерых. А какие национальности он предпочитает?

— У него нет расовых предрассудков. Предпочитает знакомых, но ничего не имеет и против незнакомцев.

— Замечательно. Теперь, что касается библий: сколько библий он съест за один присест?

— Дай ему волю — так весь тираж.

— Это недостаточно точно: вы имеете в виду *стандартное издание или семейное с иллюстрациями?*

— Думаю, что к иллюстрациям он равнодушен, я имею в виду, что он не станет отдавать предпочтения иллюстрациям *перед стандартным оттиском.*

— Нет, *вы не улавливаете моей мысли.* Вернемся к объемам. Стандартное издание библии весит около двух с половиной фунтов, в то время как подарочное издание с иллюстра-

great quarto with the illustrations weighs ten or twelve. How many Dore Bibles would he eat at a meal?"

"If you knew this elephant, you could not ask. He would take what they had."

"Well, put it in dollars and cents, then. We must get at it somehow. The Dore costs a hundred dollars a copy, Russia leather, beveled."

"He would require about fifty thousand dollars worth, say an edition of five hundred copies."

"Now that is more exact. I will put that down. Very well; he likes men and Bibles; *so far, so good*. What else will he eat? I want particulars."

"He will leave Bibles to eat bricks, he will leave bricks to eat bottles, he will leave bottles to eat clothing, he will leave clothing to eat cats, he will leave cats to eat oysters, he will leave oysters to eat ham, he will leave ham to eat sugar, he will leave sugar to eat pie, he will leave pie to eat potatoes, he will leave potatoes to eat bran; he will leave bran to eat hay, he will leave hay to eat oats, he will leave oats to eat rice, for he was mainly raised on it. There is nothing whatever that he will not eat *but European butter*, and he would eat that if he could taste it."

"Very good. General quantity at a meal, say about..."

циями весит десять или двенадцать. Сколько библий с иллюстрациями Дорэ сможет он съесть за один присест?

— Если бы вы знали этого слона, вы бы не спрашивали. Он возьмет все, что будет в книжной лавке.

— Давайте переведем это в доллары и центы. Нужно как-то приступать к делу. Библия Дорэ стоит сотню долларов за штуку, переплет из русского пергамента, с золотым обрезом.

— Ему потребуется товара на сумму пять тысяч долларов, другими словами, тираж в пятьсот экземпляров.

— Вот это уже точнее. Так и запишем. Отлично, он любит людей и библии; *пока неплохо*. А что еще он ест? Мне нужны детали.

— Покончив с библиями, он примется за кирпичи; покончив с кирпичами, перейдет к бутылкам; покончив с бутылками, перейдет к одежде; покончив с одеждой, перейдет к кошкам; покончив с кошками, перейдет к устрицам; покончив с устрицами, перейдет к ветчине; покончив с ветчиной, перейдет к сахару; покончив с сахаром, перейдет к пирогам; покончив с пирогами, перейдет к картошке; покончив с картошкой перейдет к отрубям; покончив с отрубями, перейдет к сену; покончив с сеном, перейдет к овсу; покончив с овсом, перейдет к рису, поскольку рисом его кормили с самого детства. Нет ничего, что он не мог бы съесть, *кроме французского масла*, да и то он съел бы, если бы попробовал.

— Отлично. Средний объем за один прием пищи составляет...

"Well, anywhere from a quarter to half a ton."

"And he drinks..."

"Everything that is fluid. Milk, water, whisky, molasses, castor oil, camphene, carbolic acid — it is no use to go into particulars; whatever fluid occurs to you set it down. He will drink anything that is fluid, except European coffee."

"Very good. As to quantity?"

"Put it down five to fifteen barrels — his thirst varies; his other appetites do not."

"These things are unusual. *They ought to furnish quite good clues toward tracing him.*"

He touched the bell.

"Alaric, summon Captain Burns."

Burns appeared. Inspector Blunt unfolded the whole matter to him, detail by detail. Then he said in the clear, decisive tones of a man whose plans are clearly defined in his head and who is accustomed to command:

"Captain Burns, detail Detectives Jones, Davis, Halsey, Bates, and Hackett to shadow the elephant."

"Yes, sir."

"Detail Detectives Moses, Dakin, Murphy, Rogers, Tupper, Higgins, and Bartholomew to shadow the thieves."

— Примерно от кварты до половины тонны.

— А пьет он...

— Все, что течет. Молоко, воду, виски, черную патоку, касторовое масло, камфору, нашатырный спирт — ни к чему вдаваться в детали. Запишите себе любую жидкость, которая только придет в голову. Он пьет все, что течет, кроме французского кофе.

— Отлично. А как насчет количества?

— Запишите: от пяти до пятнадцати баррелей. Пьет он по-разному, а вот другие аппетиты у него не меняются.

— Это необычно. *Это наверняка поможет нам напасть на его след.*

Он позвонил в колокольчик.

— Элэрик, вызови капитана Бернса.

Появился Бернс. Инспектор Блант изложил ему ситуацию во всех подробностях. Затем он заговорил, и его ясный голос звучал, как у командира, чьи планы выстроились в голове в стройную шеренгу:

— Капитан Бернс, отправьте детективов Джонса, Дейвиса, Хейсли, Бейтса и Хэкета на поимку слона.

— Есть, сэр.

— Отправьте детективов Моузеса, Дейкина, Мерфи, Роджерса, Таппера, Хиггинса и Бартоломью на поимку воров.

"Yes, sir."

"Place a strong guard. A guard of thirty picked men, with a relief of thirty — over the place from whence the elephant was stolen, to keep strict watch there night and day, and allow none to approach, except reporters, without written authority from me."

"Yes, sir."

"Place detectives in plain clothes in the railway; steamship, and ferry depots, and upon all roadways leading out of Jersey City, with orders to search all suspicious persons."

"Yes, sir."

"Furnish all these men with photograph and accompanying description of the elephant, and instruct them to search all trains and outgoing ferryboats and other vessels."

"Yes, sir."

"*If the elephant should be found, let him be seized*, and the information forwarded to me by telegraph."

"Yes, sir."

"Let me be informed at once if any clues should be found: footprints of the animal, or anything of that kind."

"Yes, sir."

"Get an order commanding the harbor police to patrol the frontages vigilantly."

— Есть, сэр.

— Поставьте сильную охрану — тридцать отборных людей и еще тридцать им на смену — вокруг того места, где был похищен слон, чтобы они несли круглосуточное наблюдение и не разрешали никому, кроме репортеров, туда приближаться без письменного разрешения от меня.

— Есть, сэр.

— Поставьте сыщиков в гражданской одежде на железной дороге, на паромах и пристанях и по всем дорогам, ведущим из Джерси-сити, с приказанием обыскивать всех подозрительных людей.

— Есть, сэр.

— Снабдите всех этих людей фотографией слона и его описанием и проинструктируйте их обыскивать все поезда, паромы и другие суда.

— Есть, сэр.

— *Если слона найдут, то пусть его схватят*, а информацию направят мне по телеграфу.

— Есть, сэр.

— Сообщите мне сразу же, если будут найдены любые улики: отпечатки ног животного или что-нибудь в этом роде.

— Есть, сэр.

— Прикажите полиции усиленно патрулировать район гавани.

"Yes, sir."

"Despatch detectives in plain clothes over all the railways, north as far as Canada, west as far as Ohio, south as far as Washington."

"Yes, sir."

"Place experts in all the telegraph offices to listen in to all messages; and let them require that all cipher despatches be interpreted to them."

"Yes, sir."

"Let all these things be done with the utmost secrecy — mind, the most impenetrable secrecy."

"Yes, sir."

"Report to me promptly at the usual hour."

"Yes, sir."

"Go!"

"Yes, sir."

He was gone.

Inspector Blunt was silent and thoughtful a moment, while the fire in his eye cooled down and faded out. Then he turned to me and said in a placid voice:

— Есть, сэр.

— Отправьте сыщиков в штатском по всем железным дорогам к северу вплоть до Канады, на запад — до Огайо, на юг — до Вашингтона.

— Есть, сэр.

— Внедрите своих людей во все отделения телеграфа, чтобы они прослушивали все сообщения, а зашифрованные сообщения пусть им переводят.

— Есть, сэр.

— Пусть все это выполняется в полной секретности, имейте в виду: в строжайшей секретности.

— Есть, сэр.

— Докладывайте мне об всем немедленно в обычное для доклада время.

— Есть, сэр.

— Идите!

— Есть, сэр.

И его не стало.

Несколько минут, в течение которых остывал пламень в его глазах, инспектор Блант был молчалив и задумчив. Затем он повернулся ко мне и произнес своим обычным голосом:

"I am not given to boasting, it is not my habit; but — we shall find the elephant."

I shook him warmly by the hand and thanked him; and I felt my thanks, too. The more I had seen of the man the more I liked him and the more I admired him and marveled over the mysterious wonders of his profession. Then we parted for the night, and I went home with a far happier heart than I had carried with me to his office.

II

Next morning it was all in the newspapers, in the minutest detail. It even had additions — consisting of Detective This, Detective That, and Detective The Other's "Theory" as to how the robbery was done, who the robbers were, and whither they had flown with their booty. There were eleven of these theories, and they covered all the possibilities; and this single fact shows what independent thinkers detectives are. No two theories were alike, or even much resembled each other, save in one striking particular, and in that one all the other eleven theories were absolutely agreed. That was, that although the rear of my building was torn out and the only door remained locked, the elephant had not been removed through the rent, but by some other (undiscovered) outlet. All agreed that the robbers had made that rent only to mislead the detectives. That never would have occurred to me or to any other layman, perhaps, but it had not deceived the detectives for a moment. Thus, what I had supposed was the only thing that had no mystery about it was in fact the very thing I had gone furthest astray in. The eleven theories all named the supposed robbers, but no two named the same robbers; the total number of suspected persons was thirty-seven. The various newspaper accounts all closed with the most important opinion of all — that of

— Не в моих обычаях хвастаться, я вообще не хвастун, но мы найдем слона.

Я горячо потряс его руку и поблагодарил. Чем дольше я был знаком с этим человеком, тем больше им восхищался и благоговел перед таинством его профессии. Затем мы расстались на ночь, и я вернулся домой с гораздо более легким сердцем, чем до визита к инспектору.

II

На следующее утро все до мельчайших подробностей было в газетах. Дополнительно были даже изложены мнения Детектива Такого-то и Детектива Другого-то относительно того, как была совершена кража, кто были преступники, и удалось ли им уже улизнуть. Версий было одиннадцать, и не было ни одной возможности, которую они бы не предусмотрели, что доказывает насколько независимое мышление у сыщиков. Не было двух одинаковых версий, не было двух даже похожих друг на друга, за исключением того, что одну поразительную особенность отметили абсолютно все: хотя задняя часть здания, где содержался слон, была разворочена, а единственная дверь оставалась на замке, слона увели не через пролом, а каким-то другим образом (как, остается загадкой). Все сходились на том, что пролом был сделан, чтобы сбить сыщиков со следа. Обывателю, вроде меня, такое и в голову не могло бы прийти, но сыщиков ни на секунду не удалось ввести в заблуждение. Таким образом, единственное, в чем я не видел загадки, оказалось самым таинственным. Что касается одиннадцати версий, то все они называли предполагаемых воров, но имена эти ни разу не повторялись; общее число подозреваемых равнялось тридцати семи. Все газетные сообщения заканчивались на самом

Chief Inspector Blunt. A portion of this statement read as follows:

The chief knows who the two principals are, namely, "Brick" Duffy and "Red" McFadden. Ten days before the robbery was achieved he was already aware that it was to be attempted, and had quietly proceeded to shadow these two noted villains; but unfortunately on the night in question their track was lost, and before it could be found again the bird was flown, that is, the elephant.

Duffy and McFadden are the boldest scoundrels in the profession; the chief has reasons for believing that they are the men who stole the stove out of the detective headquarters on a bitter night last winter — in consequence of which the chief and every detective present were in the hands of the physicians before morning, some with frozen feet, others with frozen fingers, ears, and other members.

When I read the first half of that I was more astonished than ever at the wonderful sagacity of this strange man. He not only saw everything in the present with a clear eye, but even the future could not be hidden from him. I was soon at his office, and said *I could not help wishing* he had had those men arrested, and so prevented the trouble and loss; but his reply was simple and unanswerable:

"It is not our province to prevent crime, but to punish it. We cannot punish it until it is committed."

I remarked that the secrecy with which we had begun had been marred by the newspapers; not only all our facts but all our plans and purposes had been revealed; even all the suspected persons had been named; these would doubtless disguise themselves now, or go into hiding.

авторитетном мнении — мнении Главного инспектора Бланта. Говорилось в них примерно следующее:

«Главный инспектор знает, чьих это рук дельце: «Кирпича» Даффи и «Рыжего» МакФэддена. Он знал об их коварных планах еще за десять дней до ограбления, и в полном спокойствии держал ситуацию под контролем, но, к несчастью, в ту злополучную ночь след был потерян, и птичка — то бишь слон — упорхнула.

Даффи и МакФэдден считаются самыми дерзкими из им подобных негодяев; у Главного инспектора есть основания полагать, что именно они стянули печку из Главного Полицейского Управления в морозную ночь прошлой зимой, в результате чего и Главный инспектор, и все, кто был с ним на дежурстве, еще до утра попали в руки врачей: кто с отмороженными ступнями, кто — с пальцами, кто — с ушами, а кто — и с другими членами».

Прочитав первую половину заметки, я был поражен удивительной мудрости этого неординарного человека. Он не только ясным взглядом озирал настоящее, но и будущее не было скрыто от его взора. Вскоре я уже был в его кабинете *и не мог удержаться от пожелания* того, чтобы впредь преступники арестовывались немного заблаговременно. Однако его ответ был прост и непререкаем.

— Не наше дело предотвращать преступление, наше дело — наказывать. А наказать мы не можем, пока преступление не совершено.

Я позволил себе заметить, что секретность, в которой мы начинали дело, была полностью уничтожена газетами; были обнародованы не только факты, но и наши планы и предположения, а также названы все подозреваемые. А это наверняка сподвигнет преступников лечь на дно.

"Let them. They will find that when I am ready for them my hand will descend upon them, in their secret places, *as unerringly as the hand of fate*. As to the newspapers, we must keep in with them. Fame, reputation, constant public mention — these are the detective's bread and butter. He must publish his facts, else he will be supposed to have none; he must publish his theory, for nothing is so strange or striking as a detective's theory, or brings him so much wonderful respect; we must publish our plans, for these the journals insist upon having, and we could not deny them without offending. We must constantly show the public what we are doing, or they will believe we are doing nothing. It is much pleasanter to have a newspaper say, 'Inspector Blunt's ingenious and extraordinary theory is as follows,' than to have it say some harsh thing, or, worse still, some sarcastic one."

"*I see the force of what you say.* But I noticed that in one part of your remarks in the papers this morning you refused to reveal your opinion upon a certain minor point."

"Yes, we always do that; it has a good effect. Besides, I had not formed any opinion on that point, anyway."

I deposited a considerable sum of money with the inspector, to meet current expenses, and sat down to wait for news. We were expecting the telegrams to begin to arrive at any moment now. Meantime I reread the newspapers and also our descriptive circular, and observed that our twenty-five thousand dollars reward seemed to be offered only to detectives. I said I thought *it ought to be offered to anybody who would catch the elephant*. The inspector said:

— Пусть. Когда я буду готов, они убедятся в том, что моя рука накроет их и в самых потаенных местах, *столь же неотвратимо, как и рука судьбы.* Что касается газет, то мы должны и дальше выступать единым фронтом. Слава, репутация, общественное мнение — все это хлеб для сыщика. Да и масло тоже. Сыщик должен публиковать свои факты, иначе фактов не будет вообще; он должен публиковать свою версию, поскольку ничто, кроме его собственной поразительной версии не принесет ему уважения; мы должны публиковать свои планы, потому что на этом настаивают журналы, а им отказывать нехорошо. Мы должны постоянно показывать публике свою работу, не то публика убедится в том, что мы ничего не делаем. Гораздо лучше прочитать в газете: «Гениальная теория инспектора Бланта состоит в том-то», чем дать журналистам возможность сказать о вас какую-нибудь колкость; или, что еще хуже, поиронизировать.

— *Все, что вы говорите, очень убедительно.* Но я заметил, что в одном из своих сегодняшних интервью вы отказываетесь сообщить свое мнение об одной незначительной детали.

— Да, мы всегда так делаем, это производит хороший эффект. Кроме того, я еще не сформировал свое мнение об этой детали.

Я оставил инспектору значительную сумму на компенсацию расходов и присел в ожидании новостей. Телеграммы могли начать приходить в любой момент. Покамест я перечитывал газеты с описанием слона и заметил, что вознаграждение в 25 тысяч долларов, похоже, предлагалось только сыщикам. Я сказал, что *считаю нужным предложить его любому, кто поймает слона.* Инспектор сказал:

"It is the detectives who will find the elephant; hence the reward will go to the right place. If other people found the animal, it would only be by watching the detectives and taking advantage of clues and indications stolen from them, and that would entitle the detectives to the reward, after all. *The proper office of a reward* is to stimulate the men who deliver up their time and their trained sagacities to this sort of work, and not to confer benefits upon chance citizens who stumble upon a capture without having earned the benefits by their own merits and labors."

This was reasonable enough, certainly. Now the telegraphic machine in the corner began to click, and the following despatch was the result:

FLOWER STATION, N. Y., 7.30 a.m. Have got a clue. Found a succession of deep tracks across a farm near here. Followed them two miles east without result; think elephant went west. Shall now shadow him in that direction. DARLEY, Detective.

"Darley's one of the best men on the force," said the inspector. "We shall hear from him again before long."

Telegram No. 2 came:

BARKER'S, N. J., 7.40 a.m. Just arrived. Glass factory broken open here during night, and eight hundred bottles taken. Only water in large quantity near here is five miles distant. Shall strike for there. Elephant will be thirsty. Bottles were empty. DARLEY, Detective.

"That promises well, too," said the inspector. "I told you the creature's appetites would not be bad clues."

— Слона поймают сыщики, так что награда отправится по правильному адресу. А если животное обнаружат другие люди, то лишь благодаря наблюдению за сыщиками и присвоению улик и вещественных доказательств. Так что, в конечном итоге, сыщики все равно будут достойны награды. *Истинный смысл вознаграждения* в том, чтобы стимулировать людей, тратящих на нашей работе ум и силы, а не в том, чтобы подкинуть деньжат случайному прохожему, который шел, да и споткнулся о пропажу.

Разумеется, в этом был глубокий смысл. Но вот начал стрекотать телеграфный аппарат в углу, и к нам выползло следующее сообщение:

Флауэр Стейшн, штат Нью Йорк, 7.30 утра. Ценная улика. Обнаружил цепочку глубоких следов через соседнюю ферму. Шел по ним две мили на восток без результата. Думаю, что слон ушел на запад. Теперь буду преследовать его в этом направлении. Детектив Дарли.

— Дарли у нас один из лучших, — сообщил инспектор, — мы о нем скоро еще услышим.

Пришла телеграмма № 2:

Баркерз, штат Нью Джерси, 7.40 утра. Только что прибыл на место. Ночью взломана дверь на стекольной фабрике, пропало 800 бутылок. Вокруг в радиусе пяти миль — одна вода в большом количестве. Устраиваю засаду. Слон захочет пить. Бутылки были пустыми. Детектив Дарли.

— Тоже хорошие новости, — сказал инспектор. — Я вам говорил, что его аппетит не будет плохой уликой.

Telegram No. 3:

TAYLORVILLE, IL 8.15 a.m. A haystack near here disappeared during night. Probably eaten. Have got a clue, and *am off*. HUBBARD, Detective.

"How he does move around!" said the inspector. "I knew we had *a difficult job on hand*, but we shall catch him yet."

FLOWER STATION, N. Y., 9 a.m. Shadowed the tracks three miles westward. Large, deep, and ragged. Have just met a farmer who says they are not elephant-tracks. Says they are holes where he dug up saplings for shade-trees when ground was frozen last winter. Give me orders how to proceed. DARLEY, Detective.

"Aha! a confederate of the thieves! The thing grows warm," said the inspector.

He dictated the following telegram to Darley:

Arrest the man and force him to name his pals. Continue to follow the tracks to the Pacific, if necessary. Chief BLUNT.

Next telegram:

CONEY POINT, PA, 8.45 a.m. Gas office broken open here during night and three months unpaid gas bills taken. Have got a clue and am away. MURPHY, Detective.

"Heavens!" said the inspector, "would he eat gas bills?"

Телеграмма № 3:

Тейлорвиль, штат Иллионойс, 8.15 утра. За ночь тут пропал стог сена. Возможно, съеден. Напал на след, *выезжаю*. Детектив Хаббард.

— Вы посмотрите, на какие расстояния он перемещается! — воскликнул инспектор. — Я знал, что *у нас трудный случай*, но все же слон будет наш!

Флауэр Стейшн, штат Нью Йорк, 9 утра. Шел по следу три мили на запад. Следы большие, глубокие, неровные. Только что встретил фермера, который сказал, что это не слоновьи следы. Сказал, что это ямы, которые он выкопал под яблони, вместо тех, что вымерзли прошлой зимой. Жду дальнейших указаний. Детектив Дарли.

— Ага! Да это сообщник воров! Становится все горячее, — сказал инспектор.

Он продиктовал Дарли следующую телеграмму:

Арестуйте этого человека и заставьте его назвать своих сообщников. При необходимости идите по следу до Тихого океана. Главный инспектор Блант.

Следующая телеграмма:

Коней Пойнт, штат Пенсильвания, 8.45 утра. Взломан офис газовой компании. Похищены неоплаченные счета за три месяца. Напал на след, выезжаю. Детектив Мерфи.

— О, Боже, — сказал инспектор. — Неужели счета он тоже ест?

"Through ignorance, yes; but they cannot support life. At least, unassisted."

Now came this exciting telegram:

IRONVILLE, N. Y., 9.30 a.m. Just arrived. This village in consternation. Elephant passed through here at five this morning. Some say he went east, some say west, some north, some south — but all say they did not wait to notice, particularly. He killed a horse; have secure a piece of it for a clue. Killed it with his trunk; from style of blow, think he struck it left-handed. From position in which horse lies, think elephant traveled northward along line Berkley Railway. Has four and a half hours' start, but I move on his track at once. HAWES, Detective.

I uttered exclamations of joy. The inspector was as self-contained as a graven image. He calmly touched his bell.

"Alaric, send Captain Burns here."

Burns appeared.

"How many men are ready for instant orders?"

"Ninety-six, sir."

"Send them north at once. Let them concentrate along the line of the Berkley road north of Ironville."

"Yes, sir."

"Let them conduct their movements with the utmost secrecy. *As fast as others are at liberty*, hold them for orders."

— Да, но по невежеству — ведь они не питательны. Разве что чем-то их закусывать.

И вот пришла эта потрясающая телеграмма:

Айронвиль, штат Нью-Йорк, 9.30 утра. Только что прибыл на место. Вся деревня в смятении. Слон прошел тут в пять утра. Кто говорит, что он пошел на запад, кто — на восток, кто — на север, кто — на юг, но все говорят, что точно они не проследили. Слон убил лошадь; кусок лошади прилагаю как вещественное доказательство. Убийство было совершено хоботом в виде удара, думаю, что били с левой руки. Судя по тому, как лежит лошадиный труп, думаю, что слон пошел на север по шпалам Берклийской железнодорожной линии. У него фора четыре часа с четвертью, но думаю, что нападу на след сразу же. Детектив Хоуз.

Я издал радостное восклицание. Инспектор был невозмутим, как мраморное изваяние. Он спокойно позвонил в колокольчик.

— Элэрик, пришлите сюда капитана Бернса.

Появился Бернс.

— Сколько человек ждут немедленных распоряжений?

— Девяносто шесть, сэр.

— Немедленно пошлите их на север. Пусть сконцентрируются вдоль Берклийской железнодорожной линии к северу от Айронвиля.

— Есть, сэр.

— Пусть совершают передвижение в строгой секретности. *Как только другие освободятся*, пусть ждут приказаний.

"Yes, sir."

"Go!"

"Yes, sir."

Presently came another telegram:

SAGE CORNERS, N. Y., 10.30 a.m. Just arrived. Elephant passed through here at 8.15. All escaped from the town but a policeman. Apparently elephant did not strike at the policeman, but at the lamp-post. Got both. I have secured a portion of the policeman as clue. STUMM, Detective.

"So the elephant has turned westward," said the inspector. "However, he will not escape, for my men are scattered all over that region."

The next telegram said:

GLOVER'S, 11.15. Just arrived. Village deserted, except sick and aged. Elephant passed through three-quarters of an hour ago. The anti-temperance mass-meeting was in session; he put his trunk in at a window and washed it out with water from cistern. Some swallowed it — since dead; several drowned. Detectives Cross and O'Shaughnessy were passing through town, but going south — so missed elephant. Whole region for many miles around in terror — people flying from their homes. Wherever they turn they meet elephant, and many are killed. BRANT, Detective.

I could have shed tears, this havoc so distressed me. But the inspector only said:

"You see, *we are closing in on him*. He feels our presence; he has turned eastward again."

— Есть, сэр.

— Идите!

— Есть, сэр.

В этот момент пришла еще одна телеграмма:

Сейдж Корнерз, штат Нью-Йорк, 10.30 утра. Только что прибыл на место. Слон прошел здесь в 8.15. Из города спаслись все, кроме полицейского. Очевидно, слон хотел ударить не по полицейскому, а по фонарю. Уничтожены оба. Кусок полицейского прилагается в качестве вещественного доказательства. Детектив Стамм.

— Значит, слон повернул на запад, — сказал инспектор. — Тем не менее сбежать ему не удастся, потому что мои люди стерегут его на всем этом направлении.

Следующая телеграмма гласила:

Гловерз, 11.15. Только что прибыл на место. В деревне никого, кроме стариков и больных. Слон прошел здесь три четверти часа назад. Шло заседание общества противников трезвости; он просунул хобот в окно и смыл их водой из цистерны. Кто-то нахлебался воды — исход смертельный, кто-то утонул. Детективы Кросс и О'Шонесси, как раз проходили через город, но, двигаясь на юг, разминулись со слоном. Вся область на много миль охвачена ужасом, люди бегут из своих домов. Куда бы они не повернули, слон встает у них на пути. Многочисленные жертвы. Детектив Брант.

Я едва сдержал слезы — так меня потрясла картина всеобщего бедствия. Но инспектор только сказал:

— Видно *мы подобрались к нему совсем близко*. Он чует нас и снова повернул на восток.

Yet further troublous news was in store for us. The telegraph brought this:

HOGANSPORT, 12.19. Just arrived. Elephant passed through half an hour ago, creating wildest fright and excitement. Elephant raged around streets; two plumbers going by, killed one, other escaped. Regret general. O'FLAHERTY, Detective.

"Now he is right in the midst of my men," said the inspector. "Nothing can save him."

A succession of telegrams came from detectives who were scattered through New Jersey and Pennsylvania, and who were following clues consisting of ravaged barns, factories, and Sunday-school libraries, with high hopes — hopes amounting to certainties, indeed. The inspector said:

"*I wish I could communicate with them and order them north*, but that is impossible. A detective only visits a telegraph office to send his report; then he is off again, and *you don't know where to put your hand on him.*"

Now came this despatch:

BRIDGEPORT, CT, 12.15. Barnum offers rate of $4,000 a year for exclusive privilege of using elephant as traveling advertising medium from now till detectives find him. Wants to paste circus-posters on him. Desires immediate answer. BOGGS, Detective.

"That is perfectly absurd!" I exclaimed.

"Of course it is," said the inspector. "Evidently Mr Barnum, *who thinks he is so sharp*, does not know me — but I know him."

Но у судьбы еще были печальные новости про запас. Вот, что принесла следующая телеграмма:

Хогансборт, 12.19. Только что прибыл на место. Слон прошел полчаса назад, вызывая ужас и панику. Промчался по улицам, навстречу — два слесаря, один убит, другой спасся. Мои соболезнования. Детектив О'Флегерти.

— Теперь он прямо в гуще моих людей, — сказал инспектор, — ничто его не спасет.

Телеграмма за телеграммой приходили от сыщиков, разбросанных по Нью-Джерси и Пенсильвании и идущих по следам, состоявшим из растоптанных амбаров, разгромленных фабрик и съеденных библиотек воскресной школы. Инспектор говорил:

— *Как я хотел бы связаться с ними и отправить их на север*, но это невозможно. Сыщик приходит на телеграф только за тем, чтобы отправить свой отчет, *а потом он неуловим*.

Пришло сообщение:

Бриджпорт, штат Коннектикут, 12.15. Барнум предлагает $4,000 в год за эксклюзивное право использования слона как ходячую рекламу с настоящего момента до тех пор, пока сыщики его не поймают. Хочет обклеивать его цирковыми афишами. Просит ответить немедленно. Детектив Богз.

— Но это же абсурд! — вскричал я.

— Конечно, — сказал инспектор. — Очевидно, мистер Барнум полагает, *что он умнее всех*, но он меня еще не знает. А вот я его знаю.

Then he dictated this answer to the despatch:

Mr Barnum's offer declined. Make it $7,000 or nothing. Chief BLUNT.

"There. We shall not have to wait long for an answer. Mr Barnum is not at home; he is in the telegraph office — *it is his way when he has business on hand.* Inside of three..."

Done. P. T. BARNUM.

So interrupted the clicking telegraphic instrument. Before I could make a comment upon this extraordinary episode, the following despatch carried my thoughts into another and very distressing channel:

BOLIVIA, N. Y., 12.50. Elephant arrived here from the south and passed through toward the forest at 11.50, dispersing a funeral on the way, and diminishing the mourners by two. Citizens fired some small cannon-balls into him, and they fled. Detective Burke and I arrived ten minutes later, from the north, but mistook some excavations for footprints, and so lost a good deal of time; but at last we struck the right trail and followed it to the woods. We then got down on our hands and knees and continued to keep a sharp eye on the track, and so shadowed it into the brush. Burke was in advance. Unfortunately the animal had stopped to rest; therefore, Burke having his head down, intent upon the track, butted up against the elephant's hind legs before he was aware of his vicinity. Burke instantly arose to his feet, seized the tail, and exclaimed joyfully, "I claim the re..." but got no further, for a single blow of the huge trunk *laid the brave fellow's fragments low in death.* I fled rearward, and the elephant turned and shadowed me to the edge of the wood, *making tremendous speed*, and I should inevitably have been lost, but that the remains of the funeral providentially intervened again and diverted his attention. I have just learned that nothing of that funeral is now left; but this is no loss, for there is abundance of material for

После чего он продиктовал свой ответ:

Предложение Барнума отклонить. Или $7,000 или ничего. Главный инспектор Блант.

— Ну вот. Теперь нам долго ждать не придется. Мистер Барнум сейчас не дома, а на телеграфе — *деловой хватки ему не занимать.* Через три...

Согласен. П. Т. Барнум.

Нас перебило стрекотание телеграфа. Прежде, чем я мог прокомментировать эту неординарную сделку, следующее сообщение унесло мои мысли в другом, очень грустном направлении:

Боливия, штат Нью-Йорк, 12.50. Слон появился с юга и прошел через лес в 11.50, разогнав по пути похоронную процессию и вдвое уменьшив число скорбящих. Горожане дали по нему несколько залпов из мелкокалиберных пушек и разбежались. Мы с детективом Берком появились с севера спустя десять минут, но ошибочно приняли свежевырытые могилы за отпечатки слоновьих ног и потеряли много времени. Но в итоге мы вышли на правильный след и по нему ушли в лес. Чтобы следить за отпечатками слоновьих ног как можно пристальнее, нам пришлось встать на четвереньки, что завело нас в густой подлесок. Берк полз первым. К несчастью, слон к тому моменту остановился передохнуть, и Берк, едва не пахавший носом землю, врезался головой в слоновьи задние ноги прежде, чем успел их заметить. Берк мгновенно вскочил на ноги, вцепился в хвост и в восторге заорал: «Награда мо...», но закончить не успел, потому что один-единственный удар хобота *уложил наповал этого бравого парня.* Я ударился в отступление, а слон развернулся и гнался за мной до опушки леса, *развивая поразительную скорость.* Я бы наверняка пропал, но тут — о счастливый случай! — нам на пути опять попались остатки похоронной процессии и отвлекли внимание слона. Мне только что сообщили, что от покойника ничего не осталось, но это нельзя считать

another. Meantime, the elephant has disappeared again. MULROONEY, Detective.

We heard no news except from the diligent and confident detectives scattered about New Jersey, Pennsylvania, Delaware, and Virginia — who were all following fresh and encouraging clues — until shortly after 2 p.m., when this telegram came:

BAXTER CENTER, 2.15. Elephant been here, plastered over with circus-bills, and broke up a revival, striking down and damaging many who were on the point of entering upon a better life. Citizens penned him up and established a guard. When Detective Brown and I arrived, some time after, we entered inclosure and proceeded to identify elephant by photograph and description. All masks tallied exactly except one, which we could not see — the boil-scar under armpit. To make sure, Brown crept under to look, and was immediately brained, that is, head crushed and destroyed, though nothing issued from debris. All fled *so did elephant*, striking right and left with much effect. He escaped, but left bold blood-track from cannon-wounds. Rediscovery certain. He broke southward, through a dense forest. BRENT, Detective.

That was the last telegram. At nightfall a fog shut down which was so dense that objects but three feet away could not be discerned. This lasted all night. The ferry-boats and even the omnibuses had to stop running.

III

Next morning the papers were as full of detective theories as before; they had all our tragic facts in detail also, and a great many more which they had received from their telegraphic correspondents. Column after column was occupied,

потерей, поскольку материала для новых похорон предостаточно. Тем временем слон опять исчез. Детектив Малруни.

В дальнейшем мы получали сообщения лишь от надежных и проверенных сыщиков, идущих по горячим следам, разбросанным по территории Нью Джерси, Пенсильвании, Делавэра и Вирджинии, как вдруг около 2 часов дня пришла следующая телеграмма:

Бакстер Центр, 2.15. Слон появился здесь обклеенный цирковыми афишами в самый разгар проповеди, сбивая с ног тех, кто шел причаститься тайн Христовых. Горожанам удалось загнать его в сарай и выставить стражу. Когда через некоторое время подоспели мы с детективом Брауном, то решили сверить слона с его фотографией и описанием. Все приметы полностью сходились, за исключением шрама от прыщика под мышкой. Чтобы окончательно убедиться в личности пойманного субъекта, Браун проник под мышку к слону. Там его голова была немедленно размозжена, однако, никакой субстанции, напоминающей мозг, в ней не оказалось. Все разбежались, *слон сделал то же самое*, нанося разящие удары во все стороны. Ему удалось скрыться, оставив за собой кровавый след от пушечных ранений. Повторное его обнаружение неминуемо. Он пробирается на юг через густой лес. Детектив Брент.

Эта телеграмма оказалась последней. К вечеру сгустился такой плотный туман, что невозможно было различить предметы на расстоянии трех шагов. Так продолжалось всю ночь. Паромам и даже автобусам пришлось прекратить движение.

III

На следующее утро газеты все так же были полны различных версий преступления; в них был подробный отчет обо всех трагических событиях минувшего дня, включая те, о которых нас не известили наши корреспонденты.

a third of its way down, with glaring headlines, which made my heart sick to read. Their general tone was like this:

THE WHITE ELEPHANT AT LARGE! HE MOVES UPON HIS FATAL MARCH. WHOLE VILLAGES DESERTED BY THEIR FRIGHT-STRICK-EN OCCUPANTS! PALE TERROR GOES BEFORE HIM, DEATH AND DEVASTATION FOLLOW AFTER! AFTER THESE, THE DETECTIVES! BARNS DESTROYED, FACTORIES GUTTED, HARVESTS DEVOURED, PUBLIC ASSEMBLAGES DISPERSED, ACCOMPANIED BY SCENES OF CARNAGE IMPOSSIBLE TO DESCRIBE! THEORIES OF THIRTY-FOUR OF THE MOST DISTINGUISHED DETECTIVES ON THE FORCES! THEORY OF CHIEF BLUNT!

"There!" said Inspector Blunt, almost betrayed into excitement, "this is magnificent! This is the greatest windfall that any detective organization ever had. The fame of it will travel to the ends of the earth, and endure to the end of time, and my name with it."

But there was no joy for me. I felt as if I had committed all those red crimes, and that the elephant was only my *irresponsible agent*. And how the list had grown! In one place he had "interfered with an election and killed five repeaters." He had followed this act with the destruction of two poor fellows, named O'Donohue and McFlannigan, who had "found a refuge in the home of the oppressed of all lands only the day before, and were in the act of exercising for the first time the noble right of American citizens at the polls, when stricken down by the relentless hand of the Scourge of Siam." In another, he had "found a crazy sensation — preacher preparing his next season's heroic attacks on the dance, the theater, and other things which can't strike back, and had stepped on him." And in still another place he had "killed a lightning-rod agent." And so the list

Заголовки размером *с добрую треть каждой газетной колонки* заставляли мое сердце цепенеть. Общий тон был следующим:

СМЕРТОНОСНЫЙ МАРШ БЕЛОГО СЛОНА! ОБЪЯТЫЕ СТРАХОМ СЕЛЯНЕ ПОКИДАЮТ СВОИ ДЕРЕВНИ. ВПЕРЕДИ НЕГО — ТИХИЙ УЖАС, ПОЗАДИ — СМЕРТЬ И РАЗРУШЕНИЕ! СЫЩИКИ ИДУТ ПО СЛЕДУ! АМБАРЫ И ФАБРИКИ СМЕТЕНЫ С ЛИЦА ЗЕМЛИ, ПОСЕВЫ ВЫТОПТАНЫ, СТОГА РАЗМЕТАНЫ, ЗЕМЛЕДЕЛЬЦЫ РАСТОПТАНЫ. КРОВАВЫЕ СЦЕНЫ НЕ ПОДДАЮТСЯ ОПИСАНИЮ! ВЕРСИИ ТРИДЦАТИ ЧЕТЫРЕХ ВИДНЕЙШИХ ДЕТЕКТИВОВ! ВЕРСИЯ ГЛАВНОГО ИНСПЕКТОРА БЛАНТА!

— Ну вот, — сказал инспектор Блант, с трудом скрывая счастливое возбуждение. — Вот это — потрясающе! Ни одна другая сыскная организация еще не поднимала такого шума. Слава об этом распространится по всем концам земли до конца времен и навеки будет связана с моим именем!

Но у меня не было повода для радости. Я чувствовал себя так, как если бы сам совершил все эти кровавые преступления, а слон был всего лишь моим *бессловесным орудием*. И ведь список преступлений все рос и рос! В одном городке он «ворвался на выборы и убил пятерых подставных избирателей». За этим последовало уничтожение двух несчастных по имени О'Донохью и МакФлэннеган, которые «всего за день до кончины нашли убежище на священной американской земле, дающей приют каждому угнетенному, и впервые готовились исполнить высокий гражданский долг у избирательной урны, когда их поразила коварная Рука Сиама». В другом городе «он обнаружил фанатичного проповедника, который как раз вел сезонную атаку на танцы, представления и другие вещи, которые не могут дать сдачи». Проповедник был раздавлен. А еще в одной деревне

went on, growing *redder and redder*, and more and more heartbreaking. Sixty persons had been killed, and two hundred and forty wounded. All the accounts bore just testimony to the activity and devotion of the detectives, and all closed with the remark that "three hundred thousand citizens and four detectives saw the dread creature, and two of the latter he destroyed."

I dreaded to hear the telegraphic instrument begin to click again. By and by the messages began to pour in, but I was happily disappointed in their nature. It was soon apparent that all trace of the elephant was lost. The fog had enabled him to search out a good hiding-place unobserved. Telegrams from *the most absurdly distant points* reported that a dim vast mass had been glimpsed there through the fog at such and such an hour, and was "undoubtedly the elephant." This dim vast mass had been glimpsed in New Haven, in New Jersey, in Pennsylvania, in interior New York, in Brooklyn, and even in the city of New York itself! But in all cases the dim vast mass had vanished quickly and left no trace. Every detective of the large force scattered over this huge extent of country sent his hourly report, and each and every one of them had a clue, and was shadowing something, and was hot upon the heels of it.

But the day passed without other result. The next day the same. The next just the same.

The newspaper reports began to grow monotonous with facts that amounted to nothing, clues which led to nothing, and theories which had nearly exhausted the elements which surprise and delight and dazzle.

он убил «агента по продаже громоотводов». Так и рос этот скорбный список, становясь все *более и более кровавым* и душераздирающим. Убитыми числилось уже 60 человек, ранеными — 240. Однако все эти цифры приводились лишь как свидетельство нечеловеческой энергии сыщиков и их преданности своему делу. И все сообщения заканчивались следующими словами: «300 000 мирных граждан и 4 сыщика видели слона-убийцу мертвым, после чего двое сыщиков погибли от его руки».

Когда телеграфный аппарат вновь застрекотал, я пришел в ужас. Но по мере того, как из него выползало сообщение, я начинал дышать с облегчением. Становилось очевидно, что след слона потерян. Туман дал ему возможность найти хорошее убежище. Телеграммы *с мест, до смешного удаленных друг от друга*, сообщали, что сквозь густую пелену в таком-то часу проступала какая-то громадная темная масса, «несомненно, слон». Эта громадная темная масса была замечена в Нью Хейвене, Нью Джерси, Пенсильвании, в Бруклине и даже в самом Нью-Йорке! Но в каждом из этих случаев громадная темная масса быстро и бесследно исчезала. Каждый сыщик из тех, что в поте лица обшаривали всю страну, ежечасно посылал свой отчет, каждый из них обладал свежими уликами, шел по следу и наступал слону на пятки.

Но день прошел безрезультатно. И следующий — тоже. И следующий.

Репортеры начинали скучать от того, что количество собранных фактов ни к чему не приводит, улики никого не уличают, а в версиях преступления уже не осталось ничего, что зацепило бы внимание публики.

By advice of the inspector I doubled the reward.

Four more dull days followed. Then came a bitter blow to the poor, hard-working detectives — the journalists declined to print their theories, and coldly said, "Give us a rest."

Two weeks after the elephant's disappearance I raised the reward to seventy-five thousand dollars by the inspector's advice. It was a great sum, but I felt that I would rather sacrifice my whole private fortune than *lose my credit with my government*. Now that the detectives were in adversity, the newspapers turned upon them, and began to fling *the most stinging sarcasms at them*. This gave the minstrels an idea, and they dressed themselves as detectives and hunted the elephant on the stage in the most extravagant way. The caricaturists made pictures of detectives scanning the country with spy-glasses, while the elephant, at their backs, stole apples out of their pockets. And they made all sorts of ridiculous pictures of the detective badge — you have seen that badge printed in gold on the back of detective novels, no doubt it is a wide-staring eye, with the legend, "WE NEVER SLEEP." When detectives called for a drink, the would-be facetious barkeeper resurrected an obsolete form of expression and said, "Will you have an eye-opener?" All the air was thick with sarcasms.

But there was one man who moved calm, untouched, unaffected, through it all. It was that heart of oak, the chief inspector. His brave eye never drooped, his serene confidence never wavered. He always said:

"Let them rail on; he laughs best who laughs last."

По совету инспектора я удвоил награду.

Прошло еще четыре унылых дня. А потом изнемогающих от усилий сыщиков постиг жестокий удар: журналисты отказались печатать их версии, холодно заявив: «Дайте нам от вас отдохнуть!»

Через две недели после исчезновения слона я, по совету инспектора, поднял награду до 75 000 долларов. Это была огромная сумма, но я готов был поставить на карту все свое состояние, лишь бы *не потерять доверие моего правительства*. Благодаря этому сыщики снова вернулись на страницы газет — но уже *в качестве объекта для сарказма*. В театрах стало модным играть «охоту на слона», причем актеры превращали сыскное дело в безобразный фарс. Карикатуристы изображали сыщиков, рыскающих с подзорной трубой по всей стране, в то время как слон у них за спиной воровал яблоки из их же карманов. Но наилучший повод для насмешек подал значок детектива с надписью «НЕДРЕМЛЮЩЕЕ ОКО», вы наверняка видели такие значки на обложках детективных романов. Куда бы сыщик ни зашел промочить горло, бармен с невинным видом спрашивал его: «Вам подать открывашку для глаз?» Короче, сарказм носился в воздухе.

Лишь один человек оставался среди всего этого спокоен и невозмутим. Это был он, человек с железными нервами, Главный инспектор. Его бесстрашный взгляд никогда не опускался перед вашим взглядом, его уверенность в себе была непоколебима. Он продолжал говорить:

— Пусть себе насмехаются, хорошо смеется тот, кто смеется последним.

My admiration for the man *grew into a species of worship.* I was at his side always. His office had become an unpleasant place to me, and now became daily more and more so. Yet if he could endure it I meant to do so also — at least, as long as I could. So I came regularly, and stayed — the only outsider who seemed to be capable of it. Everybody wondered how I could; and often it seemed to me that I must desert, but at such times I looked into that calm and apparently unconscious face, and held my ground.

About three weeks after the elephant's disappearance I was about to say, one morning, that I should have *to strike my colors and retire,* when the great detective arrested the thought by proposing one more superb and masterly move.

This was to compromise with the robbers. The fertility of this man's invention exceeded anything I have ever seen, and I have had a wide intercourse with the world's finest minds. He said he was confident he could compromise for one hundred thousand dollars and recover the elephant. I said I believed *I could scrape the amount together,* but what would become of the poor detectives who had worked so faithfully? He said:

"In compromises they always get half."

This removed my only objection. So the inspector wrote two notes, in this form:

DEAR MADAM, Your husband can make a large sum of money (and be entirely protected from the law) by making an immediate appointment with me. Chief BLUNT.

Мое восхищение этим человеком *переростало в прекло-
нение*. Теперь я всегда был подле него. Его контора стано-
вилась для меня все неприятнее день ото дня, но до тех пор,
пока в ней оставался ОН, я был готов выдержать любое от-
вращение. Поэтому я регулярно заходил туда и оставался
надолго — единственный, кому это удавалось, кроме со-
трудников. Все удивлялись моей стойкости; и часто мне
казалось, что я вот-вот не выдержу, но стоило мне в этот
момент заглянуть в его бесстрастное и не обезображенное
мыслями лицо, как я понимал, что нельзя отступать.

Однажды утром, через три недели после исчезновения
слона, *я был уже готов сдаться*, когда этот великий
сыщик буквально заворожил меня, предложив один ма-
стерский ход.

Идея состояла в том, чтобы пойти на сделку с ворами.
Размах воображения этого человека превосходил все,
с чем я прежде сталкивался, а мне доводилось встречать-
ся со многими блестящими умами. Он сказал, что верит
в возможность сделки и в возвращение слона за 100 000
долларов. Я ответил, *что деньги-то я наскребу*, но вот
несчастные сыщики, которые так усердно трудились,
останутся ни с чем. Он сказал:

— Когда мы идем на сделку, они всегда получают половину.

Больше возражений у меня не было, и инспектор написал две записки следующего содержания:

Уважаемая леди! Ваш муж может получить значительную сумму
(при этом он будет полностью защищен законом), если согласится
на немедленную встречу со мной. Главный инспектор Блант.

He sent one of these by his confidential messenger to the "reputed wife" of Brick Duffy, and the other to the "reputed wife" of Red McFadden.

Within the hour these offensive answers came:

YE OWLD FOOL: brick Duffys bin ded 2 yere. BRIDGET MAHONEY.

CHIEF BAT, Red McFadden is hung and in heving 18 month. Any Ass but a detective know that. MARY O'HOOLIGAN.

"I had long suspected these facts," said the inspector, "this testimony proves the unerring accuracy of my instinct."

The moment one resource failed him he was ready with another. He immediately wrote an advertisement for the morning papers, and I kept a copy of it:

A. xWhlv. 242 ht. Tjnd fz328wmlg. Ozpo, 2 m! 2m!. M! ogw.

He said that if the thief was alive this would bring him to the usual rendezvous. He further explained that the usual rendezvous was a glare where all business affairs between detectives and criminals were conducted. This meeting would take place at twelve the next night.

We could do nothing till then, and I lost no time in getting out of the office, and was grateful indeed for the privilege.

At eleven the next night I brought one hundred thousand dollars in banknotes and put them into the chief's hands,

С доверенным посыльным он отослал одну из них «достойной супруге» Кирпича Даффи, а вторую — «достойной супруге» Рыжего МакФэддена.

Через час пришли следующие оскорбительные ответы:

Старый пень! Кирпич Даффи уже два года как кормит червей! Бриджет Мэхони.

Мистер Вчерашний День! Рыжего МакФэддена вздернули 18 месяцев назад. Об этом знает каждая тупая задница, кроме сыщиков. Мэри О'Хулиган.

— Я давно об этом подозревал, — сказал инспектор, — шестое чувство меня, как и всегда, не подвело.

Ничто не могло выбить почву у него из-под ног! Инспектор немедленно написал объявление в утреннюю газету. У меня сохранилась его копия:

А. — хУхл. 242 хт. Тжнд — фз328вмлг. Озпо, — 2 м! 2м!. М! огв. Ух!

Он заверил меня, что если преступник жив, то это объявление заставит его прийти в условленное место. Он также объяснил, что в этом условленном месте и происходили все сделки между преступниками и полицией. Встреча должна была состояться в 12 часов следующей ночью.

До этого момента делать было нечего, и я, не теряя времени, с легкой душой покинул полицейский участок.

В 11 часов следующего вечера я принес 100 000 долларов в банкнотах и передал в руки главного инспектора,

and shortly afterward he took his leave, with the brave old undimmed confidence in his eye. An almost intolerable hour dragged to a close; then I heard his welcome tread, and rose gasping and tottered to meet him. How his fine eyes flamed with triumph! He said:

"We've compromised! The jokers will sing a different tune tomorrow! Follow me!"

He took a lighted candle and strode down into the vast vaulted basement where sixty detectives always slept, and where a score were now playing cards *to while the time*. I followed close after him. He walked swiftly down to the dim and remote end of the place, and just as I succumbed to the pangs of suffocation and was swooning away he stumbled and fell over the outlying members of a mighty object, and I heard him exclaim as he went down:

"Our noble profession is vindicated. Here is your elephant!"

I was carried to the office above and restored with carbolic acid. The whole detective force swarmed in, and such another season of triumphant rejoicing ensued as I had never witnessed before. The reporters were called, baskets of champagne were opened, *toasts were drunk*, the handshakings and congratulations were continuous and enthusiastic. Naturally the chief was the hero of the hour, and his happiness was so complete and had been so patiently and worthily and bravely won that it made me happy to see it, though I stood there a homeless beggar, my priceless charge dead, and my position in my country's service lost to me through what would always seem my fatally careless execution of a great trust. Many an eloquent eye testified its deep admiration for the chief, and many a detective's voice

который вскоре удалился с незатухающей уверенностью во взгляде. Прополз невыносимый час ожидания, и наконец я услышал его радостный возглас. Я вскочил на ноги и метнулся к нему. Его глаза горели победным огнем. Он сказал:

— Мы поладили! Завтра насмешники запоют по-другому! За мной!

Он взял зажженную свечу и спустился в просторный благоустроенный подвал, где обычно спали 60 сыщиков, и где сейчас несколько из них играли в карты, *чтобы скоротать время*. Я следовал точно за ним в отдаленный и затемненный угол помещения. По мере приближения я чувствовал удушливый запах, и был уже на грани обморока, но как раз в этот момент инспектор споткнулся о какой-то громоздкий предмет и грохнулся на пол с торжествующим возгласом:

— Наша благородная профессия отомщена! Вот он, ваш слон!

Меня отнесли наверх в контору и привели в себя нашатырным спиртом. Вокруг собралось все полицейское управление, и я оказался свидетелем такого ликования, которое мне еще не доводилось видеть. Позвали репортеров, внесли корзины с шампанским, *тосты провозглашались один за другим*, сыщики трясли друг другу руки и обменивались бесконечными поздравлениями. Естественно, Главный инспектор был сегодня героем дня; и радость его была настолько горяча и так заслуженно досталась ему за мужество и выдержку, что мне было радостно на него смотреть. Радостно, хоть я и стал теперь бездомным нищим, мой бесценный груз был мертв, а мой пост на государственной службе потерян из-за того, что легко было счесть преступной халатностью. Сколько взглядов красноречиво говорили о восхищении Главным

murmured, "Look at him — just the king of the profession; only give him a clue, it's all he wants, and there ain't anything hid that he can't find." The dividing of the fifty thousand dollars made great pleasure; when it was finished the chief made a little speech while he put his share in his pocket, in which he said, "Enjoy it, boys, for you've earned it; and, more than that, you've earned for the detective profession undying fame."

A telegram arrived, which read:

MONROE, MICH., 10 p.m. First time I've struck a telegraph office in over three weeks. Have followed those footprints, horseback, through the woods, a thousand miles to here, and they get stronger and bigger and fresher every day. Don't worry — inside of another week I'll have the elephant. *This is dead sure*. DARLEY, Detective.

The chief ordered three cheers for "Darley, one of the finest minds on the force," and then commanded that he be telegraphed to come home and receive his share of the reward.

So ended that marvelous episode of the stolen elephant. The newspapers were pleasant with praises once more, the next day, with one contemptible exception. This sheet said, "Great is the detective! He may be a little slow in finding a little thing like a mislaid elephant, he may hunt him all day and sleep with his rotting carcass all night for three weeks, but he will find him at last if he can get the man who mislaid him to show him the place!"

инспектором! Сколько голосов сейчас шептало: «Посмотрите на него! Вот истинный король своей профессии — стоит дать ему улику, и дело сделано, нет того, чего бы он не мог найти». Дележ 50 000 долларов вызвал огромный энтузиазм, а когда он был закончен, Главный инспектор произнес небольшую речь. Опуская в карман причитавшуюся ему часть; он сказал следующее: «Пусть эти деньги будут вам в радость, ребята, вы их честно заработали, но главное, что вы обеспечили профессии сыщика неувядающую славу».

Пришла телеграмма, в которой значилось следующее:

Монро, штат Мичиган, 10 вечера. В первый раз за три недели добрался до телеграфа. Верхом на лошади шел по следам через леса тысячу миль; следы становятся все больше и свежее с каждым днем. Все в порядке, через неделю слон будет мой. *Это железно.* Детектив Дарли.

Главный инспектор велел прокричать троекратное «Гип-гип, ура!» за Дарли, «одного из самых многобещающих сыщиков в нашем управлении», и затем распорядился отозвать Дарли телеграммой обратно для получения своей доли награды.

На этом закончилось историческое дело о похищении белого слона. Каждый орган печати на следующий день уделил инспектору свою долю похвал. Лишь одна газетенка пошла вразрез с остальными. Она написала так: «Слава сыщику! Он, конечно, может слегка замешкаться, если нужно найти такую мелочь, как слон; может, гоняясь за ним с утра до вечера, проспать три недели бок о бок с его разлагающимся трупом, но в итоге обязательно его обнаружит, если тот, кто подбросил слона к нему в участок, ткнет в него инспектора носом».

Poor Hassan was lost to me forever. The cannonshots had wounded him fatally, he had crept to that unfriendly place in the fog, and there, surrounded by his enemies and in constant danger of detection, he had wasted away with hunger and suffering till death gave him peace. The compromise cost me one hundred thousand dollars; my detective expenses were forty-two thousand dollars more; I never applied for a place again under my government; I am a ruined man and a wanderer on the earth but my admiration for that man, whom I believe to be the greatest detective the world has ever produced, remains undimmed to this day, and will so remain unto the end.

Бедный Джамбо был навсегда потерян для меня. Пушечные выстрелы нанесли ему смертельный раны; потеряв ориентацию в тумане, он свалился в этот мрачный подвал, где, окруженный врагами при постоянной угрозе быть обнаруженным, скончался от голода и мучений. Сделка с ворами обошлась мне в 100 000 долларов, а текущие расходы сыщиков — еще в 42 000; я лишился права занимать какой-либо правительственный пост, я разорен и стал бездомным скитальцем. Но мое восхищение этим человеком, этим величайшим сыщиком, которого когда-либо видел свет, не угасло во мне до сих пор, как не угаснет и до конца моих дней.

My Watch
Мои часы

My beautiful new watch had run eighteen months without losing or gaining, and without breaking any part of its machinery or stopping. I had come to believe it infallible in its judgments about the time of day, and to consider its constitution and its anatomy imperishable. But at last, one night, I let it run down. I grieved about it as if it were a recognized messenger and forerunner of calamity.

But by and by I cheered up, set the watch by guess, and commanded my bodings and superstitions to depart. Next day I stepped into the chief jeweler's to set it by the exact time, and the head of the establishment took it out of my hand and proceeded *to set it for me*. Then he said, "She is four minutes slow — regulator wants pushing up." I tried to stop him, tried to make him understand that the watch kept perfect time. But no; all this human cabbage could see was that the watch was four minutes slow, and the regulator MUST be pushed up a little; and so, while I danced around him in anguish, and implored him to let the watch alone, he calmly and cruelly did the shameful deed.

My watch began to gain. It gained faster and faster day by day. Within the week it sickened to a raging fever, and its pulse went up to a hundred and fifty in the shade. At the end of two months it had left all the timepieces of the

Мои красивые новенькие часики проработали восемнадцать месяцев, не убегая вперед и не отставая. Ни разу не сломались и не остановились. Казалось, механизм их вечен и всегда будет безошибочно определять время суток. Но однажды часы все-таки встали, причем по моей вине. Я горевал так, будто все это было предвестником большого несчастья.

Но, в конце концов, я взял себя в руки, установил часы наугад и приказал всем предрассудкам и суевериям оставить меня. На следующий день я отправился в лучшую часовую мастерскую, дабы установить точное время. Директор мастерской взял у меня из рук часы и *приступил к работе*. Через некоторое время он сказал: «Часы отстают на четыре минуты — необходимо подвинуть регулятор хода». Я попытался остановить его, убеждая, что часы показывают правильное время. Но нет; мои мольбы не доходили до этого бестолкового существа. Я плясал вокруг, упрашивая оставить часы в покое, но он спокойно и без зазрения совести сделал то, что считал нужным.

В результате мои часы стали убегать вперед. День ото дня они уносились все дальше и дальше. Через неделю было ощущение, что у них лихорадка, их температура составляла уже сто пять градусов в тени. В конце второго

town far in the rear, and was a fraction over thirteen days ahead of the almanac. It was away into November enjoying the snow, while the October leaves were still turning. It hurried up house rent, bills payable, and such things, in such a ruinous way that I could not abide it. I took it to the watchmaker to be regulated. He asked me if I had ever had it repaired. I said no, it had never needed any repairing. He looked a look of vicious happiness and eagerly pried the watch open, and then put a small dice box into his eye and peered into its machinery. He said it wanted cleaning and oiling, besides regulating, *come in a week*. After being cleaned and oiled, and regulated, my watch slowed down to that degree that it ticked like a tolling bell. I began to be left by trains, I failed all appointments, I got to missing my dinner...

My watch strung out three days' grace to four and let me go to protest; I gradually drifted back into yesterday, then day before, then into last week, *and by and by the comprehension came upon me that all solitary and alone I was lingering along in week before last*, and the world was out of sight. I seemed to detect in myself a sort of sneaking fellow-feeling for the mummy in the museum, and desire to swap news with him. I went to a watchmaker again. He took the watch all to pieces while I waited, and then said the barrel was "swelled." He said he could reduce it in three days. After this the watch AVERAGED well, but nothing more. For half a day it would go like the very mischief, and keep up such a barking and wheezing and whooping and sneezing and snorting, that I could not hear myself think for the disturbance; and as long as it held out there was not a watch in the land that stood any chance against it. But the rest of the day it would keep on slowing down and

месяца все городские часы остались далеко позади — мои убежали вперед на тринадцать дней. Они уже наслаждались ноябрьским снегом, в то время как все еще падали осенние листья. Они уже настоятельно рекомендовали мне оплатить все счета, а также внести ренту за дом. Я просто не мог этого больше вынести и опять отправился в ремонт. Мастер спросил, отдавал ли я когда-нибудь эти часы в починку. Нет, они в этом никогда не нуждались. Тогда часовщик со злобным нетерпением вскрыл часы, вставил в глаз лупу и начал пристально вглядываться в механизм. Затем *велел мне зайти через неделю*, так как часы было необходимо вычистить и смазать, а также отрегулировать. Я пришел, как мне было велено. После столь кропотливого труда мои несчастные часы отстали настолько, что казалось, они работают в такт с погребальными колоколами. Я начал опаздывать на поезда, пропускать все назначенные встречи. Стал даже забывать про собственный обед...

Мои часы превратили трехдневную отсрочку в четырехдневную, что, безусловно, вызывало мое возмущение. Я стал жить вчерашним днем, затем позавчерашним. Постепенно я оказался на прошлой неделе. *Вскоре я осознал, что совсем один нахожусь уже на позапрошлой неделе.* Мир исчез из виду. Я даже обнаружил какую-то тайную симпатию к мумии в музее. Очень хотелось обсудить свои дела именно с ней. И вновь мне пришлось идти к часовщику. Пока я ждал, он разобрал часы на части, а затем сказал, что у них опухоль. Обещал исправить за три дня. После этого механизм работал вполне пристойно, но не более того. Полдня часы озорничали, как только могли: так кашляли, сопели, хрипели, чихали и пыхтели, что я не слышал сам себя. И до тех пор, пока все это не прекращалось, все остальные часы страны даже и не пытались с ними соревноваться. Остаток дня мои часы настолько снижали скорость, что другие, отстающие, часы, их спокойно догоняли. Меня же все это

fooling along until all the clocks it had left behind caught up again. So at last, at the end of twenty-four hours, it would trot up to the judges' stand all right and just in time. It would show a fair and square average, and no man could say it had done more or less than its duty. But a correct average is only a mild virtue in a watch, and I took this instrument to another watchmaker. He said the kingbolt was broken. I said I was glad it was nothing more serious. To tell the plain truth, I had no idea what the kingbolt was, *but I did not choose to appear ignorant to a stranger.* He repaired the kingbolt, but what the watch gained in one way it lost in another.

It would run awhile and then stop awhile, and then run awhile again, and so on, using its own discretion about the intervals. And every time it went off it kicked back like a musket. I padded my breast for a few days, but finally took the watch to another watchmaker. He picked it all to pieces, and turned the ruin over and over under his glass; and then he said there appeared to be something the matter with the hairtrigger. He fixed it, and gave it a fresh start. It did well now, except that always at ten minutes to ten the hands would shut together like a pair of scissors, and from that time forth they would travel together.

The oldest man in the world could not make head or tail of the time of day by such a watch, and so I went again to have the thing repaired. This person said that the crystal had got bent, and that the mainspring was not straight. He also remarked that part of the works needed halfsoling. He made these things all right, and then my timepiece performed unexceptionably, save that now and then, after working along quietly for nearly eight hours, everything

вводило в большое заблуждение. И вот, наконец, по истечении суток они успевали к судейской трибуне как раз вовремя. В общем, работали они вполне удовлетворительно, и нельзя было сказать, что не стараются или переусердствуют. Но нормальная иногда работа не есть большое достоинство, и я понес часы к очередному мастеру. По его словам был сломан шкворень. Я был искренне рад, что не было более серьезной поломки. Хотя, честно говоря, совершенно не знал, что такое шкворень, *но все же не хотелось, чтобы чужой человек заподозрил меня в невежестве.* Мастер привел в порядок шкворень. Да, конечно, часы в чем-то выиграли, но зато проиграли в другом.

Они работали, потом внезапно останавливались, затем снова пускались в ход, абсолютно самостоятельно решая, когда стоит работать, а когда нет. Каждый раз, начиная работу, они издавали звук, похожий на выстрел. Несколько дней мне даже пришлось подкладывать на грудь что-то мягкое. В конце концов, я снова понес их в мастерскую. И вновь часы были разобраны на части. Часовщик покрутил перед глазами тем, что осталось от моих часов, а затем сказал, что волосок не в порядке. Установив его, он завел механизм. Можно сказать, что часы заработали хорошо, не считая, конечно, того, что каждые десять минут стрелки цеплялись друг за дружку и в таком положении продолжали свой путь.

Ни один мудрец в мире не мог понять, сколько же времени показывают мои драгоценные часики. И вот я опять отправился в ремонт. На этот раз мне сказали, что хрусталик согнулся. Ходовая пружина тоже изогнулась. Кроме того, необходимо было поставить подкладку. Когда все это было исправлено, часы заработали превосходно, за исключением того, что время от времени, проработав восемь часов, механизм внезапно выходил из

inside would let go all of a sudden and begin to buzz like a bee, and the hands would straightway begin to spin round and round so fast that their individuality was lost completely, *and they simply seemed a delicate spider's web over the face of the watch.* She would reel off the next twenty-four hours in six or seven minutes, and then stop with a bang.

I went with a heavy heart to one more watchmaker, and looked on while he took her to pieces. Then I prepared to cross-question him rigidly, for this thing was getting serious. The watch had cost two hundred dollars originally, and I seemed to have paid out two or three thousand for repairs. While I waited and looked on I presently recognized in this watchmaker an old acquaintance — a steamboat engineer of other days, and not a good engineer, either. He examined all the parts carefully, just as the other watchmakers had done, and then delivered his verdict with the same confidence of manner. He said: "She makes too much steam — you want to hang the monkey-wrench on the safety-valve!"

I brained him on the spot, and had him buried at my own expense.

My uncle William (now deceased, alas!) used to say that a good horse was a good horse until it had run away once, and that a good watch was a good watch until the repairers got a chance at it. And *he used to wonder* what became of all the unsuccessful tinkers, and gunsmiths, and shoemakers, and engineers, and blacksmiths; but nobody could ever tell him.

строя и начинал жужжать, как пчела, а стрелки немедленно начинали вращаться так быстро, что скоро их совсем не было видно. *Было ощущение, что циферблат был затянут паутиной.* За шесть-семь минут сутки заканчивались, и часы с треском останавливались.

Со скорбью на душе я побрел в следующую часовую мастерскую. Какое-то время я наблюдал за работой мастера. Очередной раз мои часы были разобраны на части. Я устроил часовщику суровый экзамен, так как дело становилось совсем серьезным. Сами часы я покупал за двести долларов, на починку я уже истратил около двух или трех тысяч. Ожидая, я вдруг узнал в мастере старого знакомого — механика парохода, и, надо признаться, отнюдь не блестящего механика. Он аккуратно проверил все части механизма, как и его предшественники, а затем таким же уверенным тоном вынес свой приговор: «Слишком много пара — предохранительный клапан нуждается еще в одной гайке».

Я тут же разбил ему голову и устроил похороны за свой счет.

Мой дядюшка Уильям (сейчас, увы, покойный), помнится, говаривал, что конь хорош до тех пор, пока не убежит, а часы — пока не сломаются однажды. Он, *бывало, интересовался*, что случается со всеми неумелыми паяльщиками, оружейными мастерами, сапожниками, инженерами и кузнецами. Но никто так ему и не ответил.

The £1,000,000 Banknote
Банкнота в миллион фунтов

I

When I was twenty-seven years old, I was a mining-broker's clerk in San Francisco, *and an expert in all the details of stock traffic.* I was alone in the world, and had nothing to depend upon but my wits and a clean reputation; but these were setting my feet in the road to eventual fortune, and I was content with the prospect.

My time was my own after the afternoon board, Saturdays, and I was accustomed to put it in on a little sail-boat on the bay. One day I ventured too far, and was carried out to sea. Just at nightfall, when hope was about gone, I was picked up by a small brig *which was bound for London.* It was a long and stormy voyage, and they made me work my passage without pay, as a common sailor. When I stepped ashore in London my clothes were ragged and shabby, and I had only a dollar in my pocket. This money fed and sheltered me twenty-four hours. During the next twenty-four I went without food and shelter.

I

Когда мне было двадцать семь лет, я работал служащим у маклера горной промышленности в Сан-Франциско *и знал все тонкости дела*. Будучи одиноким в этом мире, положиться я мог лишь на свою сообразительность и непорочную репутацию. Я находился на пути к возможной удаче и был вполне доволен.

По субботам, после полудня, *я посвящал время исключительно себе*. У меня вошло в привычку плавать в бухте на небольшой лодочке. Однажды я осмелился выйти слишком далеко в море. Упали сумерки, а с ними, казалось, была потеряна последняя надежда, когда вдруг меня подобрало маленькое судно, *направляющееся в Лондон*. Наше плавание было долгим, а погода штормовой. Я выполнял обязанности рядового матроса, чтобы как-то оплатить свой проезд. На берег в Лондоне я сошел в потрепанной и изношенной одежде и с единственным долларом в кармане. Эти деньги кормили меня и давали мне приют в течение суток. Следующие двадцать четыре часа я провел без еды и крова.

About ten o'clock on the following morning, seedy and hungry, I was dragging myself along Portland Place, when a child that was passing, towed by a nurse-maid, tossed a luscious big pear — *minus one bite* — into the gutter. I stopped, of course, and fastened my desiring eye on that muddy treasure. My mouth watered for it, my stomach craved it, my whole being begged for it. But every time I made a move to get it some passing eye detected my purpose, and of course I straightened up then, and looked indifferent, and pretended that I hadn't been thinking about the pear at all. *This same thing kept happening and happening*, and I couldn't get the pear. I was just getting desperate enough to brave all the shame, and to seize it, when a window behind me was raised, and a gentleman spoke out of it, saying: "Step in here, please."

I was admitted by a gorgeous flunkey, and shown into a sumptuous room where a couple of elderly gentlemen were sitting. They sent away the servant, and *made me sit down.* They had just finished their breakfast, and the sight of the remains of it almost overpowered me. I could hardly keep my wits together in the presence of that food, but as I was not asked to sample it, I had to bear my trouble as best I could.

II

Now, something had been happening there a little before, which *I did not know anything about until a good many days afterwards*, but I will tell you about it now. Those two old brothers had been having a pretty hot argument a couple of days before, and had ended by agreeing to decide it by a bet, which is the English way of settling everything.

Около десяти часов следующего утра, слабый и голодный, я брел вдоль Портлэнд Плэйс. Со мной поравнялась гувернантка, волоча за собой упирающегося ребенка, который неожиданно швырнул огромную соблазнительно-сладкую, но *едва надкушенную* грушу в канаву. Естественно, я тут же остановился, устремив свой взгляд на это, уже валявшееся в грязи, сокровище. У меня потекли слюнки, желудок требовал фрукт, вся моя плоть молила о нем. Но каждый раз, когда я нагибался за грушей, чей-то случайный взгляд замечал это. Я сейчас же выпрямлялся с совершенно безразличным видом, будто бы я совсем и не думал об этой груше. *Все это продолжалось довольно долго.* Я никак не мог получить то, что хотел. Но в тот момент, когда, уже окончательно отчаявшись, я схватил фрукт, бросив вызов всему своему стыду, позади меня открылось окно, и прозвучал мужской голос: «Войдите, пожалуйста».

Внушительного вида лакей проводил меня в роскошную комнату, где сидели два пожилых джентльмена. Услав слугу, они *попросили меня сесть*. Они только что закончили свой завтрак; остатки еды на столе просто не давали мне покоя. Я едва мог владеть собой в присутствии всей этой пищи. И так как мне даже не предложили попробовать, мне приходилось проявить большую выдержку и справляться со своим несчастьем молча.

II

Сейчас я расскажу, что же происходило в этой комнате незадолго до того, как там появился я. Конечно, я ничего и не подозревал тогда, а *узнал обо всем намного позже*. Те два пожилых мужчины были братьями. Пару дней назад до моего появления у них разгорелся спор, который превратился в пари, что в Англии, надо сказать, означает улаживание любых спорных вопросов.

You will remember that the Bank of England once issued two notes of a million pounds each, to be used for a special purpose connected with some public transaction with a foreign country. For some reason or other only one of these had been used and canceled; the other still lay in the vaults of the Bank. Well, the brothers, chatting along, *happened to get to wondering* what might be the fate of a perfectly honest and intelligent stranger who should be turned adrift in London without a friend, and with no money but that million-pound banknote, and no way to account for his being in possession of it. Brother A said he would starve to death; Brother B said he wouldn't. Brother A said he couldn't offer it at a bank or anywhere else, because he would be arrested on the spot. So they went on disputing till Brother B said he would bet twenty thousand pounds that the man would live thirty days, anyway, on that million, and keep out of jail, too. Brother A took him up. Brother B went down to the Bank and bought that note. Just like an Englishman, you see; pluck to the backbone. Then he dictated a letter, which one of his clerks wrote out in a beautiful round hand, and then the two brothers sat at the window a whole day watching for the right man to give it to.

They saw many honest faces go by that were not intelligent enough; many that were intelligent, but not honest enough; many that were both, but the possessors were not poor enough, or, if poor enough, were not strangers. There was always a defect, until I came along; but they agreed that *I filled the bill all around*; so they elected me unanimously, and there I was now waiting to know why I was called in. They began to ask me questions about myself, and pretty soon they had my story. Finally they told me I would answer their purpose. I said I was sincerely glad, and asked

Запомните, пожалуйста, что Английский банк выпустил однажды две банкноты, каждая в миллион фунтов, с целью заключения некоторой государственно-важной сделки с другой страной. По той или иной причине только одна из этих банкнот была использована и погашена; вторая же до сих пор хранилась в банке. И вот два брата, беззаботно болтая однажды, *задались таким вопросом:* «А что бы произошло с абсолютно честным и в то же время смышленым малым, оставленным на произвол судьбы в Лондоне, без единого друга и без денег, кроме этой бумажки в миллион фунтов, и без возможности доказать, что она принадлежит ему. Один из братьев утверждал, что этот человек умрет от голода, второй же говорил, что нет. Первый брат считал, что невозможно предложить банкноту в банк или куда-нибудь еще, так как будешь тут же на месте арестован. Итак, они продолжали спорить, когда второй брат сказал, что ставит двадцать тысяч фунтов на то, что на этот миллион человек проживет тридцать дней в любом случае и даже сможет избежать тюрьмы. Первый брат *принял вызов.* Как истый англичанин, второй брат пошел в банк и купил банкноту. Проявил мужество, я вам скажу. Затем он продиктовал одному из клерков письмо, которое тот написал своим красивым, круглым почерком. И вот оба джентльмена уселись у окна, в течение целого дня выслеживая подходящего иностранца.

Много честных людей проходило мимо, но они казались не слишком смышлеными; появлялось немало смышленых, но они не были слишком честными. Те же, кто был и достаточно умен, и достаточно честен, были недостаточно бедны, а если и бедны, то отнюдь не иностранцы. Чего-то постоянно не хватало до тех пор, пока не появился я. Джентльмены выбрали меня единогласно, *я полностью им подходил.* И вот я стою сейчас, пытаясь понять, зачем им понадобился. Меня расспросили о моей жизни, и довольно-таки скоро они услышали мой рассказ. Наконец признались, что подхожу их требованиям.

what it was. Then one of them handed me an envelope, and said I would find the explanation inside. I was going to open it, but he said no; take it to my lodgings, and look it over carefully, *and not be hasty or rash*. I was puzzled, and wanted to discuss the matter a little further, but they didn't; so I took my leave, feeling hurt and insulted to be made the butt of what was apparently some kind of a practical joke, and yet obliged to put up with it, not being in circumstances to resent affronts from rich and strong folk.

<h3 style="text-align:center">III</h3>

I would have picked up the pear now and eaten it before all the world, but it was gone; so I had lost that by this unlucky business, and the thought of it did not soften my feeling towards those men. As soon as I was out of sight of that house I opened my envelope, and saw that it contained money! My opinion of those people changed, *I can tell you*! I lost not a moment, but shoved note and money into my vest pocket, and broke for the nearest cheap eating house. Well, how I did eat! When at last I couldn't hold any more, I took out my money and unfolded it, took one glimpse and nearly fainted. Five millions of dollars! Why, *it made my head swim*.

I must have sat there stunned and blinking at the note as much as a minute before I came rightly to myself again. The first thing I noticed, then, was the landlord. His eye was on the note, and he was petrified. He was worshiping, with all his body and soul, but he looked as if he couldn't stir hand or foot. I took my cue in a moment, and did the only rational thing there was to do. I reached the note

Я ответил, что искренне рад этому, и попросил объяснить, в чем дело. Тогда один из них протянул мне конверт. Объяснение я должен был найти внутри. Я уже было собирался вскрыть конверт, но джентльмен не позволил. Мне было велено взять конверт с собой и тщательно просмотреть, *чтобы не поступить опрометчиво и необдуманно* при принятии решения. Весьма озадаченный, я попытался еще раз обсудить все это, но мне опять отказали. Я покинул дом, обиженный и оскорбленный. Казалось, со мной сыграли злую шутку. И я был вынужден примириться с этим, не имея возможности бороться против обид, нанесенных богатыми и сильными.

III

Я бы сейчас мог спокойно поднять грушу и съесть ее прямо у всех на глазах, но ее и след простыл. Я потерял драгоценный фрукт из-за какого-то странного конверта. Все это еще больше настраивало меня против этих двух джентльменов. Когда я был на достаточном расстоянии от их дома, я наконец вскрыл конверт. Внутри были деньги! Мое мнение об этих людях тут же резко поменялось, *поверьте мне!* Не теряя ни минуты, я сунул деньги и письмо в карман жилета и помчался в ближайшую дешевенькую забегаловку. Как же я поел! Когда в меня уже больше ничего не лезло, я решил пересчитать деньги. Хватило лишь беглого взгляда, чтобы остолбенеть. Пять миллионов долларов! *Голова шла кругом.*

Вероятно, я просидел в таком состоянии с минуту. Я то и дело открывал и закрывал глаза, чтобы убедиться, не сплю ли я. Наконец, прийдя в себя, я заметил хозяина заведения, стоящего передо мной и ошеломленно смотревшего на купюру. Казалось, он боготворил ее, всей душой и телом. Он выглядел так, будто не может пошевелить ни рукой, ни ногой. Воспользовавшись его

towards him, and said, carelessly: "Give me the change, please."

Then he was restored to his normal condition, and made a thousand apologies for not being able *to break the bill*, and I couldn't get him to touch it. He wanted to look at it, and keep on looking at it; he couldn't seem to get enough of it to quench the thirst of his eye, but he shrank from touching it as if it had been something too sacred for poor common clay to handle. I said:

"I am sorry if it is an inconvenience, but I must insist. Please change it. I haven't anything else."

But he said that wasn't any matter; he was quite willing to let the trifle stand over till another time. I said I might not be in his neighborhood again for a good while; but he said it was of no consequence, he could wait, and, moreover, I could have anything I wanted, any time I chose, and let the account run as long as I pleased. He said he hoped he wasn't afraid to trust as rich a gentleman as I was, merely because I was of a merry disposition, and chose *to play larks on the public in the matter of dress*. By this time another customer was entering, and the landlord hinted to me to put *the monster* out of sight; then he bowed me all the way to the door, and I started straight for that house and those brothers, to correct the mistake which had been made before the police should hunt me up, and help me do it. I was pretty nervous; in fact, pretty badly frightened, though, of course, I was no way in fault; but I knew men well enough to know that when they find they've given a tramp a million-pound bill when they thought it was a one-pounder, they are in a frantic rage against him instead of quarreling with their own near-sightedness, as they ought. As I ap-

молчанием, я совершил единственно возможный в тот момент поступок. Я протянул ему банкноту и небрежно сказал: «Разменяйте, пожалуйста».

Придя в нормальное состояние, хозяин принес тысячу извинений за то, что не может *разменять деньги*. Я даже не мог заставить его дотронуться до них. Он желал лишь смотреть на купюру, будто утоляя жажду своих глаз. Он относился к банкноте, как к чему-то священному, недостойному прикосновения простого человека. Мне пришлось повторить:

— Извините еще раз за беспокойство, но я настаиваю. Пожалуйста, разменяйте. У меня больше ничего нет.

Он сказал, это не имеет никакого значения. Он вполне согласен отложить такой пустяк, как размен денег, на потом. И даже тот факт, что вряд ли в ближайшее время я появлюсь в этом районе, не сыграл никакой роли. Он обещал ждать, сколько угодно. И более того, мне было разрешено брать в пивной все, что я хочу, в любое время, и мой счет будет действителен настолько долго, насколько мне необходимо. Он также сказал, что не может не доверять такому богатому человеку, как я, особенно и потому, что я был веселого нрава, раз мог так *разыгрывать людей и ходить в лохмотьях при таких деньгах*. В этот момент в кафе вошел еще один посетитель. Хозяин намекнул мне, чтобы я убрал эту *чудовищную сумму* с глаз долой. Откланявшись мне весьма учтиво, хозяин ушел. А я направился прямо в дом к двум уже известным нам братьям. Мне хотелось вернуть все на свои места и отдать обратно деньги, которые мне дали по величайшей ошибке. Особенно хотелось мне исправить все до появления полиции. Я порядочно нервничал. В действительности, я сильно боялся, хотя, конечно, я был не виноват. Но слишком хорошо знал человеческую

proached the house my excitement began to abate, for all was quiet there, which made me feel pretty sure the blunder was not discovered yet. I rang. The same servant appeared. I asked for those gentlemen.

IV

"They are gone." *This in the lofty, cold way of that fellow's tribe.*

"Gone? Gone where?"

"On a journey."

"But whereabouts?"

"To the Continent, I think."

"The Continent?"

"Yes, sir."

"Which way — by what route?"

"I can't say, sir."

"When will they be back?"

"In a month, they said."

натуру. Я представлял себе тот неистовый гнев, в который придут пожилые джентльмены, обнаружив, что они отдали бродяге купюру в миллион фунтов, спутав с однофунтовой. И вполне очевидно, что виновным окажусь я. Вряд ли джентльмены будут укорять себя в собственном легкомыслии. Когда я приблизился к их дому, мое волнение постепенно утихло. Обстановка вокруг была спокойная, что придавало мне уверенности в том, что жуткий промах еще не обнаружен. Я позвонил в дверь. Открыл тот же слуга. Я попросил проводить меня к джентльменам.

IV

— Они уехали, — *сказал слуга надменным и высокомерным тоном, таким естественным для этой братии.*

— Уехали? Куда?

— Путешествовать.

— А куда именно?

— На континент, я думаю.

— Континент?

— Да, сэр.

— А конкретно куда?

— Я не могу сказать, сэр, я не знаю.

— Когда они вернутся?

— Сказали, через месяц.

"A month! Oh, this is awful! Give me some sort of idea of how to get a word to them. It's of the last importance."

"I can't, indeed. I've no idea where they've gone, sir."

"Then I must see some member of the family."

"Family's away, too; been abroad months — in Egypt and India, I think."

"Man, there's been an immense mistake made. They'll be back before night. Will you tell them I've been here, and that I will keep coming till it's all made right, and they needn't be afraid?"

"I'll tell them, if they come back, but I am not expecting them. They said you would be here in an hour to make inquiries, but I must tell you it's all right, they'll be here on time and expect you."

So I had to give it up and go away. What a riddle it all was! I was like to lose my mind. They would be here "on time." What could that mean? Oh, the letter would explain, maybe. I had forgotten the letter; I got it out and read it. This is what it said:

"You are an intelligent and honest man, as one may see by your face. We conceive you to be poor and a stranger. Enclosed you will find a sum of money. It is lent to you for thirty days, without interest. Report at this house at the end of that time. I have a bet on you. If I win it you shall have any situation that is in my gift — any, that is, that you shall be able to prove yourself familiar with and competent to fill."

— Целый месяц?! Это ужасно! Подскажите же мне, как с ними связаться. Это крайняя необходимость.

— Я, действительно, ничем не могу помочь. Я не имею представления, куда они уехали.

— Тогда мне нужно поговорить с кем-нибудь из семьи.

— Семьи тоже нет. Они все за границей на несколько месяцев — в Египте и в Индии, кажется.

— Послушайте, произошла ужасная ошибка. Они должны вернуться до заката. Скажите им, что я был здесь и что буду приходить до тех пор, пока все не разрешится и не встанет на свои места. Им не о чем беспокоиться.

— Я передам, если они вернутся. Но я не ожидаю такого скорого их приезда. Они сказали, что вы придете через час. И я должен сказать вам, что все в порядке. Они вернутся вовремя и будут ждать вас у себя.

Итак, мне пришлось сдаться и уйти. Как же все это было загадочно! Я сходил с ума. Они приедут «вовремя». Что бы это могло значить? О, должно быть письмо объяснит мне что-нибудь. Я совсем про него забыл. Вот, что там было написано:

«Вы умный и честный человек, о чем можно судить по вашему лицу. Нам показалось, что вы бедны и что вы иностранец. Внутри вы найдете сумму денег. Я одолжил ее вам на тридцать дней, без какой бы то ни было выгоды с моей стороны. По истечении этого срока придите к нам в дом. У нас состоялось пари. Если я его выиграю, вы получите любое место, какое хотите и какое имеется в моем распоряжении, — любую работу, к какой вы окажетесь пригодны».

No signature, no address, no date.

Well, here was a coil to be in! You are posted on what had preceded all this, but I was not. It was just a deep, dark puzzle to me. I hadn't the least idea what the game was, nor whether harm was meant me or a kindness. I went into a park, and sat down to try to think it out, and to consider what I had best do.

V

At the end of an hour my reasonings had crystallized into this verdict.

Maybe those men mean me well, maybe they mean me ill; no way to decide that — *let it go.* They've got a game, or a scheme, or an experiment, of some kind on hand; no way to determine what it is — let it go. There's a bet on me; no way to find out what it is — let it go. That disposes of the indeterminable quantities; the remainder of the matter is tangible, solid, and may be classed and labeled with certainty. If I ask the Bank of England to place this bill to the credit of the man it belongs to, they'll do it, for they know him, although I don't; but they will ask me how I came in possession of it, and if I tell the truth, they'll put me in the asylum, naturally, and a lie will land me in jail. The same result would follow if I tried to bank the bill anywhere or to borrow money on it. I have got to carry this immense burden around until those men come back, *whether I want to or not.* It is useless to me, as useless as a handful of ashes, and yet I must take care of it, and watch over it, while I beg my living. I couldn't give it away, if I should try, for neither honest citizen nor highwayman would accept it or meddle with it for anything. Those brothers are safe. Even if I lose their bill, or burn it, they are still safe,

Ни подписи, ни адреса, ни даты.

Что-то за всем этим крылось! Вы уже заранее знали, что предшествовало всему этому, а я-то нет. Для меня все это было необыкновенной загадкой. Я не имел ни малейшего понятия, в чем было дело. Я даже не представлял, хотят ли мне зла или добра. Я пошел в парк, чтобы посидеть спокойно, все обдумать и решить, что делать дальше.

V

Через час мои рассуждения оформились примерно в следующее.

Возможно, эти люди желали мне добра, возможно, зла. *Неважно.* Я этого не знал. У них что-то было на уме; они играли в какую-то игру, а быть может, проводили эксперимент. Неважно. Я не мог этого определить. Там, вероятно, был из-за меня спор. Неважно. Все равно у меня не было возможности это выяснить. Итак, мы избавились от неизвестного, остальное вполне ясно. Если я попробую отнести купюру в Английский банк и попрошу положить ее на счет человека, которому она принадлежит, они это сделают, так как знают, чья она, в отличие от меня. Но ведь они поинтересуются, где я ее взял. И если я скажу правду, меня, естественно, отправят в сумасшедший дом. А если я совру, меня посадят в тюрьму. То же ждет меня, если я попытаюсь вложить деньги куда-то еще или использовать их, чтобы взять взаймы. Мне придется носить с собой эту ношу, пока два джентльмена не вернутся, *хочу я этого или нет.* Мне это не принесет ровно никакой пользы, и тем не менее я вынужден таскать эту банкноту с собой и более того — беречь ее. Я не могу ее кому-либо отдать, даже если попытаюсь. Ни один нормальный человек, ни даже разбойник не станут вмешиваться в это дело. А джентльмены в безопасности. Даже если я потеряю купюру или сожгу ее,

because they can stop payment, and the Bank will make them whole; but meantime I've got to do a month's suffering without wages or profit — unless I help win that bet, whatever it may be, *and get that situation that I am promised.* I should like to get that; men of their sort have situations in their gift that are worth having.

I got to thinking a good deal about that situation. My hopes began to rise high. Without doubt the salary would be large. It would begin in a month; after that I should be all right. Pretty soon I was feeling first-rate. By this time I was tramping the streets again. The sight of a tailor-shop gave me a sharp longing to shed my rags, and to clothe myself decently once more. Could I afford it? No; I had nothing in the world but a million pounds. So I forced myself to go on by. But soon I was drifting back again. The temptation persecuted me cruelly. I must have passed that shop back and forth six times during that manful struggle. At last I gave in; I had to. I asked if they had a misfit suit that had been thrown on their hands. The fellow I spoke to nodded his head towards another fellow, and gave me no answer. I went to the indicated fellow, and he indicated another fellow with his head, and no words. I went to him, and he said:

VI

"Tend to you presently."

I waited *till he was done with what he was at,* then he took me into a back room, and overhauled a pile of rejected suits, and selected the rattiest one for me. I put it on. It didn't fit, and wasn't in any way attractive, but it was new, and I was anxious to have it; so I didn't find any fault, but said, with some diffidence:

они все равно не пострадают. Ведь они могут в любой момент прикрыть счет, и банк им все равно выплатит все до единой монеты. А я тем временем буду целый месяц страдать, не имея никакого заработка и никакого дохода до тех пор, пока не прояснится это пари (каким бы там оно ни было) *и я не получу мне обещанное.* Хотелось бы получить! Ведь люди такого сорта, как эти братья, действительно, многое могут.

И я предался мечтаниям. Мои надежды возрастали и возрастали. Безусловно, зарплата будет большая. И я начну получать ее уже через месяц. И со мной все будет в порядке. Довольно скоро я вновь чувствовал себя превосходно. И я опять побрел по улице. При виде мужского ателье во мне проснулось острое желание сбросить с себя все это барахло и вновь прилично одеться. Мог я себе это позволить? Нет; у меня не было ничего, кроме миллиона фунтов. Я заставил себя пройти мимо. Но неведомая сила принесла меня обратно. Соблазн не отпускал меня. Раз шесть, наверное, я проходил мимо ателье, взад и вперед. Внутри меня разразилась серьезная борьба. В конце концов, мне пришлось сдаться. Я спросил, нет ли у них случайно какого-нибудь ненужного костюма. Человек, к которому я обратился, кивнул на другого, не говоря ни слова. Но и он без слов указал на следующего. Наконец мне ответили:

VI

— Я уделю вам внимание, когда освобожусь.

Я ждал, *пока мастер закончит свои дела.* Наконец меня проводили в самую дальнюю комнату. Там, тщательно перерыв кучу негодной одежды, служащий выбрал для меня самый мерзкий костюм. Я надел его. Он не подходил по размеру и совсем не шел к лицу, но он был новый, и я был этому рад. Не упоминая о недостатках, я промолвил слегка смущенно:

"It would be an accommodation to me if you could wait some days for the money. I haven't any small change about me."

The fellow worked up a most sarcastic expression of countenance, and said:

"Oh, you haven't? Well, of course, I didn't expect it. I'd only expect gentlemen like you to carry large change."

I was nettled, and said: "My friend, you shouldn't judge a stranger always by the clothes he wears. I am quite able to pay for this suit; I simply didn't wish to put you to the trouble of changing a large note."

He modified his style a little at that, and said, though still with something of an air: "I didn't mean any particular harm, but as long as rebukes are going, I might say it wasn't quite your affair to jump to the conclusion that we couldn't change any note that you might happen to be carrying around. On the contrary, we can."

I handed the note to him, and said: "Oh, very well; I apologize."

He received it with a smile, one of those large smiles which goes all around over, and has folds in it, and wrinkles, and spirals, and looks like the place where you have thrown a brick in a pond; and then in the act of his taking a glimpse of the bill this smile froze solid, and turned yellow, and looked like those wavy, wormy spreads of lava which you find hardened on little levels on the side of Vesuvius. I never before saw a smile caught like that, and perpetuated. The man stood there holding the bill, and looking

— Вы окажете мне большую услугу, если разрешите оплатить покупку несколько дней спустя. У меня нет с собой мелких денег.

С язвительным выражением лица сотрудник, обслуживающий меня, сказал:

— Ах, ну да! У вас нет мелких денег?! Ну, конечно, я этого и не ожидал. Такие джентльмены, как вы, носят с собой только крупные суммы.

Немного раздраженно, я произнес: — Дорогой друг, не стоит судить о людях по одежде, которую они носят. Я вполне в состоянии оплатить этот костюм. Просто мне не хочется утруждать вас и просить разменять мне крупную сумму денег.

Немного изменив свой тон и манеру поведения, но при этом весьма надменно, он ответил: — Я не имел в виду ничего плохого, но уж раз пошли упреки, я должен вам сказать, что не ваше это дело решать, какие купюры мы можем разменять, а какие нет. Полагаю, мы способны разменять вашу крупную сумму.

Тогда я протянул ему банкноту со словами: — О, прекрасно! Извините!

Он принял деньги с улыбкой — с широкой, во все лицо, улыбкой. Эта улыбка была похожа на пруд, в который запустили камень, отчего вода пошла кругами. Но было достаточно и одного взгляда на купюру, чтобы улыбка трусливо застыла. Теперь она напоминала волнообразные потоки лавы, застывшей на склонах Везувия. Никогда прежде не видел я такой улыбки. Казалось, она будет сохранена навечно. Сотрудник продолжал стоять с купюрой в руках, когда к нам стал протискиваться

like that, and the proprietor hustled up to see what was the matter, and said, briskly:

"Well, what's up? what's the trouble? what's wanting?"

I said: "There isn't any trouble. I'm waiting for my change."

"Come, come; get him his change, Tod; get him his change."

VII

Tod retorted: "Get him his change! It's easy to say, sir; but look at the bill yourself."

The proprietor took a look, gave a low, eloquent whistle, then made a dive for the pile of rejected clothing, and began to snatch it this way and that, talking all the time excitedly, and as if to himself: "Sell an eccentric millionaire such an unspeakable suit as that! Tod's a fool — a born fool. Always doing something like this. Drives every millionaire away from this place, because he can't tell a millionaire from a tramp, and never could. Ah, here's the thing I am after. Please get those things off, sir, and throw them in the fire. Do me the favor to put on this shirt and this suit; *it's just the thing*, the very thing — plain, rich, modest, and just ducally nobby; made to order for a foreign prince — you may know him, sir, his Serene Highness the Hospodar of Halifax; had to leave it with us and take a mourning-suit because his mother was going to die — which she didn't. But that's all right; we can't always have things the way we — that is, the way they — there! trousers all right, they fit you to a charm, sir; now the waistcoat; aha, right again! now the coat — Lord! look at that, now! Perfect —

хозяин ателье. Ему хотелось узнать, что происходит. Весьма оживленно он спросил:

— Ну, что случилось? В чем проблема?

Я ответил: — Нет никаких проблем, просто я жду, когда мне разменяют деньги.

— Ну же, Тод, разменяй сумму. Давай, шевелись.

VII

Тод ответил довольно резко: — Легко сказать, сэр, разменяй. Посмотрите сами на купюру.

При виде денег хозяин издал свист, тихий, но весьма выразительный. Затем нырнул в кучу забракованной одежды и стал раскидывать ее в обе стороны. При этом он все время что-то возбужденно бормотал, казалось, самому себе: — Дать ТАКОМУ миллионеру ТАКОЙ чудовищный костюм! Тод — дурак, прирожденный болван. Всегда все портит. Отваживает всех миллионеров от нашего заведения, потому что не может отличить миллионера от бродяги. Ах, вот как раз то, что я искал. Пожалуйста, сэр, снимите с себя все это и сожгите. Окажите мне услугу, наденьте эту рубашку и этот костюм. *Замечательно*! Это именно то, что нужно. Просто, незамысловато, но богато и невероятно элегантно. Знаете, этот костюм заказал себе иностранный принц — возможно, вы его знаете, сэр. Его Высокая Светлость Господарь Галифакса! Но по семейным обстоятельствам костюм он не забрал. Дело в том, что его достопочтенная матушка собралась умирать, но вдруг — ни с того ни с сего — передумала. Да, не всегда бывает так, как мы... то есть, как они... Ну вот! Брюки великолепны, они до невозможности вам идут, сэр.

the whole thing! I never saw such a triumph in all my experience."

I expressed my satisfaction.

"Quite right, sir, quite right; it'll do for a makeshift, I'm bound to say. But wait till you see what we'll get up for you on your own measure. Come, Tod, book and pen; get at it. Length of leg, 32", and so on. Before I could get in a word he had measured me, and was giving orders for dress-suits, morning suits, shirts, and all sorts of things. When I got a chance I said: "But, my dear sir, I can't give these orders, unless you can wait indefinitely, or change the bill."

"Indefinitely! It's a weak word, sir, a weak word. Eternally, that's the word, sir. Tod, rush these things through, and send them to the gentleman's address without any waste of time. Let the minor customers wait. Set down the gentleman's address and..."

VIII

"I'm changing my quarters. I will drop in and leave the new address."

"Quite right, sir, quite right. One moment — let me show you out, sir. There — good day, sir, good day."

Well, don't you see what was bound to happen? I drifted naturally into buying whatever I wanted, and asking for

А жилет! И снова превосходно! Так, посмотрим на пиджак. Бог мой! Вы только посмотрите! Как это все вам к лицу! Я никогда в своей жизни не видел такого!

Я выразил удовольствие.

— Очень хорошо, сэр, очень хорошо. Должен вам сказать, для того, чтобы изменить свой образ, это как раз то, что вам нужно. Но подождите-ка. Давайте поглядим, что мы можем сшить именно для вас, по вашим размерам. Тод, живо, неси журнал и ручку. Так, длина штанины 32... — и так продолжалось еще долго. Хозяин измерял меня, а я не мог вставить и словечка. Он за меня заказал вечерний костюм, деловой костюм, рубашки и много всего другого. Наконец я сумел вставить слово: — Но, любезный, я не могу сделать такие заказы до тех пор, пока вы не согласитесь отложить оплату на неопределенный срок или не разменяете мне мою купюру.

— На неопределенный срок! Слабо сказано, сэр, слабо сказано! Вечность — вот подходящее слово. Тод, быстренько собери все эти вещи и прикажи прислать их господину на дом. И немедленно. А заказчики помельче пусть подождут! Запиши адрес любезного джентльмена и...

VIII

— Но я переезжаю. Как только это будет возможно, я заскочу к вам и оставлю свой новый адрес.

— Конечно, сэр, конечно. Минуточку — позвольте мне вас проводить, сэр. Всего наилучшего, сэр, до скорого свидания, сэр.

Ну что ж! Вы поняли, мои дорогие, что же произошло на самом деле? Я мог совершенно спокойно покупать то, что

change. Within a week I was sumptuously equipped with all needful comforts and luxuries, and was housed in an expensive private hotel in Hanover Square. I took my dinners there, but for breakfast I stuck by Harris's humble feeding house, where I had got my first meal on my million-pound bill. I was the making of Harris. The fact had gone all abroad that the foreign crank who carried million-pound bills in his vest pocket was the patron saint of the place. That was enough. From being a poor, struggling, little hand-to-mouth enterprise, it had become celebrated, and overcrowded with customers. Harris was so grateful that he forced loans upon me, and would not be denied; and so, pauper as I was, I had money to spend, and was living like the rich and the great. I judged that there was going to be a crash by and by, but I was in now and must swim across or drown. You see there was just that element of impending disaster to give a serious side, a sober side, yes, a tragic side, to a state of things which would otherwise have been purely ridiculous. In the night, in the dark, the tragedy part was always to the front, and always warning, always threatening; and so I moaned and tossed, and sleep was hard to find. But in the cheerful daylight the tragedy element faded out and disappeared, and I walked on air, and was happy to giddiness, to intoxication, you may say.

And it was natural; for I had become one of the notorieties of the metropolis of the world, and it turned my head, not just a little, but a good deal. You could not take up a newspaper, English, Scotch, or Irish, without finding in it one or more references to the "vest-pocket million-pounder" and his latest doings and saying. At first, in these mentions, I was at the bottom of the personal-gossip column; next, I was listed above the knights, next above the baronets, next above the

хочу, всего лишь пытаясь разменять банкноту. Не прошло и недели, как я был превосходно одет и имел все необходимое. Жил я теперь со всеми удобствами и в роскоши в дорогом отеле на площади Ганновер. Там я обедал, но завтракал по-прежнему в скромном заведении Гарриса, в том самом, где первый раз поел, имея в кармане лишь миллионную купюру. *Для Гарриса я был путем к успеху.* Новость о том, что чудак-иностранец с миллионными банкнотами в кармане покровительствует заведению, моментально облетела округу. И этого было достаточно. Забегаловка из бедного, постоянно борющегося за счастье заведения тут же превратилась в знаменитое, кишащее клиентами кафе. Гаррис был до того мне признателен, что постоянно совал мне в долг деньги. И отказать ему было невозможно. И вот я, бедняк бедняком, имел теперь деньги, которые мог тратить. Зажил я, как богач! Конечно, мысль о том, что скоро будет крах, неоднократно приходила мне в голову. Но *меня уже вынесло в открытое море и дороги назад не было.* Мне оставалось, либо плыть по течению, либо тонуть. И если бы впереди не маячило крушение, происходящее казалось бы просто большой нелепостью. Ночью, в темноте, эта трагическая часть не давала мне покоя, угрожала и предостерегала. Я метался, стонал и совсем не мог спать. Но при благожелательном свете дня все горести уходили на второй план, и я словно парил в облаках. Был счастлив до головокружения, до потери пульса.

Естественно, я приобрел известность в лучшем городе земли. И это кружило мне голову. И довольно серьезно, должен признаться. Невозможно было открыть ни одну газету, будь она английская, шотландская или ирландская, не наткнувшись раз или даже два на «миллионера с банкнотой в кармане» и на его последние деяния и высказывания. Поначалу я занимал нижние строчки светских хроник; затем я стал опережать рыцарей, потом баронетов, и, наконец, баронов. Я

barons, and so on, and so on, climbing steadily, as my notoriety augmented, until I reached the highest altitude possible, and there I remained, taking precedence of all dukes not royal, and of all ecclesiastics except the primate of all England. But mind, this was not fame; as yet I had achieved only notoriety. Then came the climaxing stroke — the accolade, so to speak — which in a single instant transmuted the perishable dross of notoriety into the enduring gold of fame: Punch caricatured me! Yes, I was a made man now; my place was established. I might be joked about still, but reverently, not hilariously, not rudely; I could be smiled at, but not laughed at. The time for that had gone by. Punch pictured me all a-flutter with rags, dickering with a beef-eater for the Tower of London. Well, you can imagine how it was with a young fellow who had never been taken notice of before, and now all of a sudden couldn't say a thing that wasn't taken up and repeated everywhere; couldn't stir abroad without constantly overhearing the remark flying from lip to lip, "There he goes; that's him!"; couldn't take his breakfast without a crowd to look on; couldn't appear in an opera box without concentrating there the fire of a thousand lorgnettes. Why, I just swam in glory all day long— that is the amount of it.

IX

You know, I even kept my old suit of rags, and every now and then appeared in them, so as to have the old pleasure of buying trifles, and being insulted, and then shooting the scoffer dead with the million-pound bill. *But I couldn't keep that up.* The illustrated papers made the outfit so familiar that when I went out in it I was at once recognized and followed by a crowd, and if I attempted a purchase the man would offer me his whole shop on credit before I could pull my note on him.

стремительно набирал высоту. Моя известность все возрастала. И вот, наконец, я достиг самых высот, где теперь прочно обосновался. Я смотрел сверху вниз на всех герцогов и священнослужителей, за исключением архиепископа Англии. Но заметьте, это была еще не слава, это была известность. Затем произошло то, что возвело меня, можно сказать, в ранг рыцаря. В одно мгновение моя бренная популярность переросла в бессмертное золото славы. Даже «Панч» стал делать на меня карикатуры! Бесспорно, *теперь я занимал прочное положение*. Мое место было определено. Прежде надо мной шутили, но всегда весьма осторожно; надо мной могли смеяться, но не издевались и не презирали. Такое время кончилось. «Панч» изобразил меня в лохмотьях, пререкающегося с охраной лондонского Тауэра. Можете вы себе представить, как все это подействовало на молодого человека, раньше никем не замечаемого и так неожиданно ставшего известным? Я не мог и слова произнести, чтобы оно не было тут же подхвачено и распространено. Я не мог появиться на улице, чтобы не услышать вслед: «Вон он идет; да это же он!» Не мог даже спокойно позавтракать: был постоянно в центре всеобщего внимания. В опере все лорнеты были наведены на меня. Я купался в славе дни напролет. Она текла нескончаемым потоком.

IX

Знаете, я сохранил свои лохмотья. Время от времени я появлялся в них, получая даже некое удовольствие от очередных оскорблений. Особенно приятно было в результате обезоружить обидчика, вытащив миллионную купюру. *Но продолжалось все это недолго.* Иллюстрированные журналы запечатлели меня и в нищенском костюме, так что теперь и в нем меня вмиг узнавали и, как всегда, сопровождали большой толпой. Если я пытался что-нибудь купить, хозяин тут же предлагал мне в кредит весь свой магазин, причем еще до того, как я показывал знаменитую банкноту.

About the tenth day of my fame I went to fulfil my duty to my flag by paying my respects to the American minister. He received me with the enthusiasm proper in my case, upbraided me for being so tardy in my duty, and said that there was only one way to get his forgiveness, and that was to take the seat at his dinner-party that night made vacant by the illness of one of his guests. I said I would, and we got to talking. It turned out that he and my father had been schoolmates in boyhood, Yale students together later, and always warm friends up to my father's death. So then he required me *to put in at his house all the odd time I might have to spare*, and I was very willing, of course.

In fact, I was more than willing; I was glad. When the crash should come, he might somehow be able to save me from total destruction; I didn't know how, but he might think of a way, maybe. I couldn't venture to unbosom myself to him at this late date, a thing which I would have been quick to do in the beginning of this awful career of mine in London. No, I couldn't venture it now; I was in too deep; that is, too deep for me to be risking revelations to so new a friend, though not clear beyond my depth, as I looked at it. Because, you see, with all my borrowing, I was carefully keeping within my means — I mean within my salary. Of course, I couldn't know what my salary was going to be, but I had a good enough basis for an estimate in the fact, that if I won the bet I was to have choice of any situation in that rich old gentleman's gift provided I was competent — and I should certainly prove competent; I hadn't any doubt about that. And as to the bet, I wasn't worrying about that; I had always been lucky. Now my estimate of the salary was six hundred to a thousand a year; say, six hundred for the first year, and so on up year by year, till I struck the upper figure by proved merit. At present I was only in debt for my first year's salary. Everybody had been

trying to lend me money, but I had fought off the most of them on one pretext or another; so this indebtedness represented only £300 borrowed money, the other £300 represented my keep and my purchases. I believed my second year's salary would carry me through the rest of the month if I went on being cautious and economical, and I intended to look sharply out for that. My month ended, my employer back from his journey, I should be all right once more, for I should at once divide the two years' salary among my creditors by assignment, and get right down to my work.

X

It was a lovely dinner-party of fourteen. The Duke and Duchess of Shoreditch, and their daughter the Lady Anne-Grace-Eleanor-Celeste-and-so-forth-and-so-forth-de-Bohun, the Earl and Countess of Newgate, Viscount Cheapside, Lord and Lady Blatherskite, some untitled people of both sexes, the minister and his wife and daughter, and his daughter's visiting friend, an English girl of twenty-two, named Portia Langham, whom I fell in love with in two minutes, and she with me — I could see it without glasses. There was still another guest, an American — but I am a little ahead of my story. While the people were still in the drawing-room, whetting up for dinner, and coldly inspecting the late comers, the servant announced:

"Mr Lloyd Hastings."

The moment the usual civilities were over, Hastings caught sight of me, and came straight with cordially outstretched hand; then stopped short when about to shake, and said, with an embarrassed look:

Примерно на десятый день славы я решил отдать должное государству и отправился с визитом к американскому министру. Он принял меня с надлежащим энтузиазмом, побранил за столь запоздалое выражение вежливости и сказал, что единственный способ получить его прощение — это принять приглашение на ужин и занять место, пустующее из-за болезни одного из гостей. Я согласился, и мы продолжили разговор. Выяснилось, что министр учился с моим отцом в школе, затем они вместе закончили Йельский университет, и дружба их продолжалась до самой смерти моего отца. Министр настаивал на том, *чтобы свое свободное время я проводил у них*. Естественно, я охотно согласился.

В действительности, более чем охотно. Я был безумно рад. Когда настанет-таки крах, министр уж как-нибудь убережет меня от полного разорения. Я, правда, не знал, каким образом, но он мог что-нибудь придумать. Это уж точно. Я не имел права рискнуть и открыть свою тайну сейчас, когда все, казалось, подходило к концу. В начале моей безумной карьеры в Лондоне я бы, конечно, рискнул, но не сейчас. Я слишком во все это втянулся. Настолько, что не мог откровенничать даже с таким милым новым знакомым. Хотя, если разобраться, не так уж далеко я зашел. Ведь, несмотря на все мои займы, я держался в определенных рамках — в рамках зарплаты, разумеется. Конечно, я не знал, какой она будет, но все же я вполне мог рассчитывать на довольно приличное место, которое обещал мне тот джентльмен в случае выигрыша. Бесспорно, я лучшим образом покажу на что я способен. У меня по этому поводу не было никаких сомнений. А что касается пари, из-за этого я также не беспокоился: мне всегда везло. Я ожидал, что моя зарплата будет где-то от шестисот до тысячи в год; скажем, шесть за первый год, а там год за годом все больше и больше до пор, пока не дойду до самой высокой цифры, соответствующей моим заслугам. На данный момент я задолжал с

первую годовую зарплату. Все подряд пытались одолжить мне денег. Довольно часто я удачно отказывался под тем или иным предлогом. Итак, мой долг состоял из трехсот фунтов, которые я взял в долг, и из трехсот, которые ушли на ежедневные расходы и покупки. Я надеялся, зарплата за второй год поможет мне дожить до конца этого месяца, если я буду экономным и предусмотрительным. И я решительно намеревался за этим следить. По истечении месяца вернутся из путешествия мои джентльмены, но и здесь я знал, что делать. Я сразу же поделю свою двухгодичную зарплату между кредиторами и примусь за работу.

X

Это был замечательный ужин на четырнадцать персон: герцог и герцогиня местечка Шоредич и их дочь леди Анна-Грация-Элеонора-Селеста-и-так-далее-и-тому-подобное-де-Боин, граф и графиня Ньюгейтские, виконт с улицы Чипсайд, лорд и леди Блэзэрскайт, еще парочка нетитулованных особ обоих полов, сам министр с женой и дочерью и подруга дочери, английская девушка двадцати двух лет, которую звали Порция Лэнхэм. Вот с ней-то мы и влюбились друг в друга с первого взгляда — это было видно даже без очков. Кроме того, был еще один гость, американец... нет, не буду торопить события. Пока все гости были в гостиной, нагуливали аппетит к обеду и довольно-таки неприветливо здоровались со вновь входившими, слуга объявил:

— Мистер Ллойд Гастингс.

Когда обычные любезности подошли к концу, Гастингс заметил меня и прямиком направился в мою сторону с дружелюбно протянутой рукой. Затем смущенно остановился и сказал:

"I beg your pardon, sir, I thought I knew you."

"Why, *you do know me*, old fellow."

"No. Are you the... the..."

"Vest-pocket monster? I am, indeed. Don't be afraid to call me by my nickname; I'm used to it."

"Well, well, well, this is a surprise. Once or twice I've seen your own name coupled with the nickname, but it never occurred to me that you could be the Henry Adams referred to. Why, it isn't six months since you were clerking away for Blake Hopkins in Frisco on a salary, and sitting up nights on an extra allowance, helping me arrange and verify the Gould and Curry Extension papers and statistics. The idea of your being in London, and a vast millionaire, and a colossal celebrity! Why, it's the Arabian Nights come again. Man, I can't take it in at all; can't realize it; give me time to settle the whirl in my head."

"The fact is, Lloyd, you are no worse off than I am. I can't realize it myself."

"Dear me, it is stunning, now isn't it? Why, it's just three months today since we went to the Miners' restaurant..."

"No; the What Cheer."

"Right, it was the What Cheer; went there at two in the morning, and had a chop and coffee after a hard six-hours grind over those Extension papers, and I tried to persuade you to come to London with me, and offered to get leave of absence for you and pay all your expenses, and give you

— Извините, сэр, я думал, я вас знаю.

— Ну, *конечно, вы меня знаете*, дорогой друг.

— Да что вы говорите? Вы не...?

— Карманный миллионер? Да, это я. Не бойтесь, можете спокойно называть меня так. Я к этому уже привык.

— Ну и ну, вот так сюрприз! Пару-тройку раз я видел ваше
собственное имя вместе с этим прозвищем, но мне никогда не
приходило в голову, что вы и есть тот самый Генри Адамс. Не
прошло и шести месяцев, как вы работали клерком у Блейка
Хопкинса во Фриско, у которого зарплата, надо сказать, была та еще. Я помню, как вы сидели ночами, зарабатывая до-
полнительные деньги и помогая мне приводить в порядок
бумаги Голда и Карри. Вы только подумайте! Вы в Лондоне
и мультимиллионер! Потрясающе! Опять наступили времена
«Тысячи и одной ночи». Знаете, я не могу в это поверить; не
могу это осознать; дайте мне время прийти в себя.

— Дело в том, что вы, Ллойд, в таком же положении,
как и я. Я сам ничего не понимаю.

— Боже мой, это сногсшибательно, не правда ли? Всего лишь три месяца прошло, как мы с вами ходили в наш
любимый ресторан «Шахтер».

— Нет, в «Как настроеньице?».

— Точно, именно «Как настроеньице?». Мы шли туда
в два часа ночи, ели отбивную котлету и пили кофе после
тяжелого однообразного шестичасового труда с этими
бумагами, и я пытался убедить вас поехать со мной
в Лондон. Я предлагал помочь с отпуском, покрыть ваши

something over if I succeeded in making the sale; and you would not listen to me, said I wouldn't succeed, and you couldn't afford to lose the run of business and be no end of time getting the hang of things again when you got back home. And yet here you are. How odd it all is! How did you happen to come, and whatever did give you this incredible start?"

XI

"Oh, just an accident. It's a long story — a romance, a body may say. I'll tell you all about it, but not now."

"When?"

"The end of this month."

"That's more than a fortnight yet. *It's too much of a strain* on a person's curiosity. Make it a week."

"I can't. You'll know why, by and by. But how's the trade getting along?"

His cheerfulness vanished like a breath, and he said with a sigh:

"You were a true prophet, Hal, a true prophet. *I wish I hadn't come.* I don't want to talk about it."

"But you must. You must come and stop with me to-night, when we leave here, and tell me all about it."

"Oh, may I? Are you in earnest?" and the water showed in his eyes.

затраты и даже дать вам еще денег, если мне самому по-
везет с продажами. Но вы меня не слушали. Считали,
что не видать мне удачи. Говорили, что не можете себе
позволить потерять контроль над бизнесом, а затем, вер-
нувшись опять домой, снова вникать в дело. И вот! Вы
здесь! Как же все это странно! Как вы сюда попали? Что
помогло вам так невероятно начать здесь карьеру?

XI

— Случайность, чистая случайность. Это длинная
история — больше похоже на небылицу, надо сказать.
Я как-нибудь расскажу.

— Когда же?

— В конце месяца.

— Еще целых две недели. *Это слишком серьезное ис-
пытание* для простого человеческого любопытства.

— Но сейчас я не могу. Вы вскоре узнаете, почему.
А как обстоят дела с вашей работой?

Его веселость тут же пропала, и он сказал, вздыхая:

— Вы правильно предсказали, Генри, правильно. *Лучше
бы меня здесь не было.* Мне не хочется об этом говорить.

— Но вы должны. Вы просто обязаны сегодня остано-
виться у меня и все мне рассказать.

— Вы это серьезно? Не шутите? — и его глаза напол-
нились слезами.

"Yes; I want to hear the whole story, every word."

"I'm so grateful! Just to find a human interest once more, in some voice and in some eye, in me and affairs of mine, after what I've been through here, lord! I could go down on my knees for it!"

He gripped my hand hard, and braced up, and was all right and lively after that for the dinner — *which didn't come off.* No; the usual thing happened, the thing that is always happening under that vicious and aggravating English system — the matter of precedence couldn't be settled, and so there was no dinner. Englishmen always eat dinner before they go out to dinner, because they know the risks they are running; but nobody ever warns the stranger, and so he walks placidly into trap. Of course, nobody was hurt this time, because we had all been to dinner, none of us being novices excepting Hastings, and he having been informed by the minister at the time that he invited him that in deference to the English custom he had not provided any dinner. Everybody took a lady and processioned down to the dining-room, *because it is usual to go through the motions*; but there the dispute began. The Duke of Shoreditch wanted to take precedence, and sit at the head of the table, holding that he outranked a minister who represented merely a nation and not a monarch; but I stood for my rights, and refused to yield. In the gossip column I ranked all dukes not royal, and said so, and claimed precedence of this one. It couldn't be settled, of course, struggle as we might and did, he finally (and injudiciously) trying to play birth and antiquity, and I "seeing" his Conqueror and "raising" him with Adam, whose direct posterity I was, as shown by my name, while he was of a collateral branch, as shown by his, and by his recent Norman origin; so we all processioned back to the drawing-room again and had a perpen-

— Да, я хочу услышать все, до единого слова.

— Я вам так благодарен! Как это прекрасно — вновь почувствовать человеческий интерес к себе и к своим проблемам, после всего того, что я здесь пережил. Бог мой! Можно и на колени встать из-за этого!

Он крепко пожал мне руку и повеселел. Он был теперь полон жизни и с радостью ждал ужина, *который, кстати, так и не начался*. Нет, было все, как обычно, как это всегда происходит из-за этих невыносимых и порочных правил английской жизни. Не получилось решить, кто выше по рангу, и ужин не состоялся. Если англичанин приглашен на ужин, это значит, он основательно поест дома, так как не будет уверен, что ужин-таки состоится. Но никто никогда не предупреждает об этом иностранца, и он естественно попадается на эту удочку. В тот раз, конечно, ни один из нас не пострадал. Мы все поели, так как новичками не были. За исключением Гастингса. Но, приглашая его на ужин, министр предупредил, что из почтения к английским привычкам ужин не был заказан. Каждый пригласил даму, и мы все прошли в столовую, *так как ритуал — дело святое*. Вот тут-то и началось! Герцог из местечка Шоредич желал быть первым и сидеть во главе стола, ибо он шел выше министра по рангу тем более, что министр вообще представляет собой всего лишь государство, а не самого монарха. Я тоже мог за себя постоять и не собирался сдаваться. Ведь в светской хронике я был впереди всех герцогов. Я требовал первенства. Дело никак не ладилось, несмотря на все наши усилия. Наконец очень необдуманно герцог начал хвастаться древностью своего рода, я же попрекнул его Вильгельмом Завоевателем и вообще сказал, что он является потомком Адама, впрочем, как и я. Но я при этом был прямым потомком, что видно по моему имени, в то время как он — всего лишь побочным, о чем можно судить по его имени. Да и

dicular lunch — plate of sardines and a strawberry, and you group yourself and stand up and eat it. Here the religion of precedence is not so strenuous; the two persons of highest rank chuck up a shilling, the one that wins has first go at his strawberry, and the loser gets the shilling. The next two chuck up, then the next two, and so on. After refreshment, tables were brought, and we all played cribbage, sixpence a game. The English never play any game for amusement. If they can't make something or lose something — *they don't care which* — they won't play.

XII

We had a lovely time; certainly two of us had, Miss Langham and I. I was so bewitched with her that I couldn't count my hands if they went above a double sequence; and when I struck home I never discovered it, and started up the outside row again, and would have lost the game every time, only the girl did the same, she being in just my condition, you see; and consequently neither of us ever got out, or cared to wonder why we didn't; we only just knew we were happy, and didn't wish to know anything else, and didn't want to be interrupted. And I told her — *I did, indeed* — told her I loved her; and she — well, she blushed till her hair turned red, but she liked it; she said she did. Oh, there was never such an evening! Every time I pegged I put on a postscript; every time she pegged she acknowledged receipt of it, counting the hands the same. Why, I couldn't even say "Two for his heels" without adding, "My, how sweet you do look!" and she would say, "Fifteen two, fifteen four, fifteen six, and a pair are eight, and eight are sixteen, do

происхождение у него было нормандское. Итак, мы вернулись весьма торжественно в гостиную и принялись за так называемый «обед на ногах» — тарелку сардин, и блюдо клубники, которые положено есть всем вместе, образуя круг. Культ первенства здесь не столь явен. Двое из высшего общества бросают шиллинг, тот, кто выигрывает, получает право отведать клубники, а проигравший получает монету. Приходит очередь следующих, затем соревнуются еще двое и так далее. После закуски вносят столы, и начинается игра в криббидж, партия — шесть пенсов. Истый англичанин не будет играть только ради развлечения. Если нельзя получить хоть какую-нибудь выгоду или же лишиться чего-нибудь — *это одинаково важно* — англичане вовсе не будут принимать участие.

XII

Мы замечательно провели время; по крайней мере, мы с Мисс Лэнхэм. Я был настолько ею очарован, что никак не мог нормально сосчитать свои взятки. И я, несомненно, проиграл бы, если бы не девушка, у которой игра точно так же не клеилась. Знаете, она была в том же состоянии, что и я, и поэтому мы оба кое-как продолжали партию. Нам было совершенно все равно, выигрываем мы или проигрываем. Единственное, что мы знали, это то, что мы счастливы. Остальное было безразлично. И мы не хотели, чтобы что-то мешало этому счастью. Я сказал ей, — *и в правду сказал* — что люблю ее; а она — покраснела, конечно, до корней волос, но была довольна. По крайней мере, так она утверждала. О, никогда не испытывал я ничего подобного, как в тот вечер! То и дело я отправлял ей какую-нибудь записочку, она же радостно ее принимала. Каждое «Две на счет» сопровождалось «Милая, как ты прелестна!», а она отвечала «Пятнадцать дважды, четыре раза по пятнадцать, шесть раз по пятнадцать, и пара — восемь, два по

you think so?", peeping out aslant from under her lashes, you know, so sweet and cunning. *Oh, it was just too-too!*

Well, I was perfectly honest and square with her; told her *I hadn't a cent in the world* but just the million-pound note she'd heard so much talk about, and it didn't belong to me, and that started her curiosity; and then I talked low, and told her the whole history right from the start, and it nearly killed her laughing. What in the nation she could find to laugh about I couldn't see, but there it was; every half-minute some new detail would fetch her, and I would have to stop as much as a minute and a half to give her a chance to settle down again. Why, she laughed herself lame — she did, indeed; I never saw anything like it. I mean I never saw a painful story — a story of a person's troubles and worries and fears — produce just that kind of effect before. So I loved her all the more, seeing she could be so cheerful when there wasn't anything to be cheerful about; for I might soon need that kind of wife, you know, the way things looked. Of course, I told her we should have to wait a couple of years, till I could catch up on my salary; but she didn't mind that, only she hoped I would be as careful as possible in the matter of expenses, and not let them run the least risk of trenching on our third year's pay. Then she began to get a little worried, and wondered if we were making any mistake, and starting the salary on a higher figure for the first year than I would get. This was good sense, and it made me feel a little less confident than I had been feeling before; but it gave me a good business idea, and I brought it frankly out.

XIII

"Portia, dear, would you mind going with me that day, when I confront those old gentlemen?"

восемь — шестнадцать — вы, действительно, так думаете?» — и из-под ресничек на меня смотрели очарователь-
ные лукавые глазки. *О, это было выше моих сил!*

Я был с ней абсолютно честен; признался, что *у меня
за душой ни цента*, только эта миллионная купюра,
о которой уже все наслышаны, — да и то не моя. Ее лю-
бопытству не было предела; тихим голосом я поведал ей
всю историю, с самого начала. Она буквально умирала
со смеху. Что, черт возьми, она нашла в этом забавного?
Мне не дано было этого понять. Но факт остается фактом.
С каждой минутой, с каждой новой деталью она залива-
лась так, что требовалось еще как минимум полторы
минуты, чтобы ее успокоить. Она хохотала до изнеможе-
ния — не думал, что такое возможно. Я не верил, что
рассказ о таких человеческих страданиях и бедах,
и страхах, может произвести подобный эффект. И, кажется, за это я любил ее еще сильнее, понимая, какой
жизнерадостной она может быть, когда на это нет при-
чин. Знаете ли, именно такого рода жену мне и хотелось.
Безусловно, я попросил подождать годика два до тех пор,
пока мой заработок будет стабильным. Она не возража-
ла. Только просила быть осторожнее и не тратить зарплату за третий год. Затем она вдруг стала немного волноваться. Может, мы совершаем ошибку, рассчитывая
на такие большие деньги за первый год? Это имело некий
смысл и заставило меня почувствовать себя менее уверенным, чем прежде. Но это способствовало рождению
замечательной идеи, о чем я с радостью сообщил.

XIII

— Порция, дорогая, не откажетесь ли вы пойти вместе
со мной к тем джентльменам в назначенный день?

She shrank a little, but said:

"N-o; if my being with you would help hearten you. But... would it be quite proper, do you think?"

"No, I don't know that it would — in fact, I'm afraid it wouldn't; but, you see, there's so much dependent upon it that..."

"Then I'll go anyway, *proper or improper*," she said, with a beautiful and generous enthusiasm. "Oh, I shall be so happy to think I'm helping!"

"Helping, dear? Why, you'll be doing it all. You're so beautiful and so lovely and so winning, that with you there I can pile our salary up till I break those good old fellows, and they'll never have the heart to struggle."

Sho! you should have seen the rich blood mount, and her happy eyes shine!

"You wicked flatterer! There isn't a word of truth in what you say, but still I'll go with you. Maybe it will teach you not to expect other people to look with your eyes."

Were my doubts dissipated? Was my confidence restored? You may judge by this fact: privately I raised my salary to twelve hundred the first year on the spot. But I didn't tell her; *I saved it for a surprise.*

All the way home I was in the clouds, Hastings talking, I not hearing a word. When he and I entered my parlor, he brought me to myself with his fervent appreciations of my manifold comforts and luxuries.

Слегка отпрянув, она произнесла:

— О, если мое присутствие вам будет полезно. А прилично ли это?

— Не могу сказать, в сущности, может, и нет — но, видите ли, все это так много значит...

— В таком случае я несомненно пойду. *Хорошо это или нет!* — сказала она восторженно. — О! Я буду так счастлива, помогая вам!

— Помогая? Да ведь без вас вообще нельзя! Вы так хороши, так прелестны и изумительны, что наши джентльмены просто не посмеют отказаться и увеличат жалованье, насколько это только возможно.

Вы бы видели, как она смутилась! Видели бы вы счастливый блеск ее глаз!

— Вы страшный подхалим! Нет ни слова правды в том, что вы сказали, но все равно я пойду с вами. Вероятно, это научит вас не ожидать от других своей собственной реакции!

Как вы думаете, рассеялись ли мои сомнения? Стал ли я вновь уверен в себе? Судите сами: для меня лично моя зарплата уже составляла двенадцать сотен за первый год, и это без особых раздумий. Но ей я этого не сказал; *пусть будет сюрпризом.*

По дороге домой я парил в облаках. Гастингс что-то рассказывал, но его слова пролетали мимо моих ушей. Когда же мы наконец были у меня, я мигом пришел в себя, так пламенно и пылко восторгался Гастингс разнообразным великолепием моих комнат.

"Let me just stand here a little and *look my fill*. Dear me! it's a palace, it's just a palace! And in it everything a body could desire, including cosy coal fire and supper standing ready. Henry, it doesn't merely make me realize how rich you are; it makes me realize, to the bone, to the marrow, how poor I am — how poor I am, and how miserable, how defeated, routed, annihilated!"

Plague take it! this language gave me the cold shudders. It scared me broad awake, and made me comprehend that I was standing on a halfinch crust, with a crater underneath. I didn't know I had been dreaming — that is, I hadn't been allowing myself to know it for a while back; but now — oh, dear! Deep in debt, not a cent in the world, a lovely girl's happiness or woe in my hands, and nothing in front of me but a salary which might never — oh, would never — materialize! Oh, oh, oh! I am ruined past hope! nothing can save me!

XIV

"Henry, the mere unconsidered drippings of your daily income would..."

"Oh, my daily income! Here, *down with this hot Scotch*, and cheer up your soul. Here's with you! Or, no, you're hungry; sit down and..."

"Not a bite for me; I'm past it. I can't eat, these days; but I'll drink with you till I drop. Come!"

"Barrel for barrel, I'm with you! Ready? Here we go! Now, then, Lloyd, unreel your story while I brew."

— Позвольте мне просто постоять немного. *Позвольте мне насладиться этой красотой.* Черт возьми! Это же дворец — именно дворец! И здесь абсолютно все, что можно желать. Даже такой милый камин. И уже готовый ужин. Генри, я просто не могу поверить, как сказочно вы богаты; и я начинаю осознавать, как же беден я, как жалок, насколько разрушен и уничтожен!

Черт бы тебя побрал! Его слова заставляли меня вздрагивать. Они до такой степени меня напугали, так как вернули к реальности. Было ощущение, что я стою на краю, а подо мной разверзся вулкан. Я не знал, что живу как во сне, что всячески пытаюсь избежать действительности; но теперь — о, Боже! По уши в долгах, ни цента в кармане, в моих руках счастье — а возможно, и несчастье — прелестной дамы, и ничего впереди, кроме зарплаты, которая будет когда-то — о, нет, а может, и не будет вовсе! О, Господи! Последняя мечта разрушена! Меня уже ничто не спасет!

XIV

— Генри, самое малое ваш ежедневный доход будет составлять...

— О! Мой ежедневный доход! Так *выпьем же залпом это великолепное шотландское виски* и взбодримся. Ваше здоровье! Или, быть может, вы голодны? Сядьте, прошу вас...

— Мне самому ни кусочка! Сейчас я выше этого! Я не могу есть в такие дни, знаете ли; но напьемся же до смерти. Поехали!

— Глоток за глотком; я с вами! Готовы? Поехали! А теперь, Ллойд, давайте вашу историю, а я затею тут еще по стаканчику.

"Unreel it? What, again?"

"Again? What do you mean by that?"

"Why, I mean do you want to hear it over again?"

"Do I want to hear it over again? This is a puzzler. Wait; don't take any more of that liquid. You don't need it."

"Look here, Henry, you alarm me. Didn't I tell you the whole story on the way here?"

"You?"

"Yes, I."

"I'll be hanged if I heard a word of it."

"Henry, this is a serious thing. It troubles me. What did you take up yonder at the minister's?"

Then it all flashed on me, and I owned up like a man.

"I took the dearest girl in this world — prisoner!"

So then he came with a rush, and we shook, and shook, and shook till our hands ached; and he didn't blame me for not having heard a word of a story which had lasted while we walked three miles. He just sat down then, like the patient, good fellow he was, and told it all over again. Synopsized, it amounted to this: he had come to England with what he thought was a grand opportunity; he had an "option" to sell the Gould and Curry Extension for the "locators" of it, and keep all he could get over a million dollars.

— Историю? Что опять?

— Опять? Что вы имеете в виду?

— Я говорю, вы снова хотите ее выслушать?

— Хочу ли я снова ее выслушать? Вот так загадка! Постойте-ка, не пейте больше. Вам больше нельзя.

— Послушайте, Генри, вы меня беспокоите. Разве я не рассказал вам всю историю по дороге сюда?

— Вы?

— Да, я.

— Будь я повешен, если слышал хоть единое слово.

—Генри, это уже серьезно. Это начинает меня тревожить. Что вы там приняли на душу, у министра?

И тут до меня дошло. Я, как настоящий джентльмен, во всем откровенно признался:

— Лучшая девушка в мире покорена мною!

Он буквально подлетел ко мне и пожал мне руку. И мы стояли, обмениваясь рукопожатиями, так долго, что руки просто онемели. И он даже не обвинил меня в том, что я не услышал не единого слова из его рассказа. А рассказ был поистине длинный: он продолжался целых три мили. Гастингс просто уселся, безропотно, как пациент, и поведал все еще раз, с самого начала. Если быть кратким, было примерно так: Гастингс приехал в Англию, по его мнению, имея большие перспективы; у него было право продать

He had worked hard, had pulled every wire he knew of, had left no honest expedient untried, had spent nearly all the money he had in the world, had not been able to get a solitary capitalist to listen to him, and his option would run out at the end of the month. In a word, he was ruined. Then he jumped up and cried out:

"Henry, you can save me! You can save me, and you're the only man in the universe that can. Will you do it? *Won't you do it?*"

XV

"Tell me how. Speak out, my boy."

"Give me a million and my passage home for my 'option'! Don't, don't refuse!"

I was in a kind of agony. *I was right on the point of coming out with the words*, "Lloyd, I'm a pauper myself, absolutely penniless, and in debt!" But a *white-hot* idea came flaming through my head, and I gripped my jaws together, and calmed myself down till I was as cold as a capitalist. Then I said, in a commercial and self-possessed way:

"I will save you, Lloyd..."

"Then I'm already saved! God be merciful to you forever! If ever I..."

"Let me finish, Lloyd. I will save you, but not in that way; for that would not be fair to you, after your hard

принадлежащие Голду и Карри месторождения руды и получить прибыль — все, что было сверх миллиона долларов. Он усердно работал, использовал все до единой возможности, истратил все мыслимые и немыслимые деньги, в общем, пошел на все ради достижения своей цели. Но нет, ни один владелец большого капитала так и не выслушал его, а его полномочия уже истекают к концу месяца. Словом, он был раздавлен. Вдруг он вскочил и закричал:

— Генри, вы можете меня спасти! Вы можете меня спасти, и вы единственный человек во всем мире, который это может. Вы сделаете это? *Неужели вы этого не сделаете?*

XV

— Скажите, как. Говорите же, дружище.

— Дайте мне миллион и обеспечьте меня обратным билетом! Не отказывайте мне! Не отказывайте!

Внезапно на меня нахлынуло множество чувств. *Я уже почти что произнес:* «Ллойд, я сам нищий — без единого пенни, да к тому же в долгах!», как вдруг *невероятная* идея пришла мне в голову. Сжав зубы, я успокоился и стал невозмутим, как капиталист. Затем я сказал деловым и хладнокровным голосом:

— Я спасу вас, Ллойд...

— О! Я уже спасен! Да хранит вас Господь на веки вечные! Если я когда-нибудь...

— Дайте мне закончить, Ллойд. Я спасу вас, но иначе; по отношению к вам было бы нехорошо и несправедливо, после

work, and the risks you've run. I don't need to buy mines; I can keep my capital moving, in a commercial center like London, without that; it's what I'm at, all the time; but here is what I'll do. I know all about that mine, of course; I know its immense value, and can swear to it if anybody wishes it. You shall sell out inside of the fortnight for three million cash, using my name freely, and we'll divide, share and share alike."

Do you know, he would have danced the furniture to kindling-wood in his insane joy, and broken everything on the place, if I hadn't tripped him up and tied him.

Then he lay there, perfectly happy, saying:

"I may use your name! Your name, think of it! Man, they'll flock in droves, these rich Londoners; they'll fight for that stock! I'm a made man, I'm a made man forever, and I'll never forget you as long as I live!"

In less than twenty-four hours London was abuzz! I hadn't anything to do, day after day, but sit at home, and say to all comers:

"Yes; I told him to refer to me. I know the man, and I know the mine. His character is above reproach, and the mine is worth far more than he asks for it."

Meantime I spent all my evenings at the minister's with Portia. I didn't say a word to her about the mine; I saved it for a surprise. We talked salary; never anything but salary and love; sometimes love, sometimes salary, sometimes love and salary together. And my! the interest the minister's wife and daughter took in our little affair, and the endless

столь невероятного вашего труда и столь больших рисков, которым вы подвергались, поступить таким образом. Не нужно покупать шахты. В таком крупном торговом центре, как Лондон, деньги можно вложить и без этого, чем я сейчас и занимаюсь. Конечно, я знаю про этот рудник, понимаю невероятную его ценность и могу признаться в этом каждому. Уже через две недели вы сможете продать его за три миллиона наличными, ссылаясь преспокойно на меня. А затем мы с вами разделим прибыль — поровну разделим.

Видели бы вы тот безумный танец, который Ллойд изобразил вокруг мебели. Последнюю он, надо сказать, чуть не уничтожил, если бы я вовремя его не связал.

Потом он лег, абсолютно счастливый, и промолвил:

— Ссылаться на ваше имя! На ваше имя — подумать только! Они накинутся, все эти богачи Лондона; они будут драться за эти акции! Я в безопасности, в безопасности навсегда, и я никогда вас не забуду, до самой смерти!

Менее чем за двадцать четыре часа в Лондоне началась кипучая деятельность! Целыми днями, день за днем, я ничего не делал, только отвечал вновь прибывшим:

— Да, я разрешил ему ссылаться на меня. Я знаю его и эту шахту. Его нельзя ни в чем упрекнуть, а шахта вообще достойна гораздо большего, чем он за нее просит.

Между тем я проводил все вечера с Порцией в доме министра. Я не сказал ей ни слова о руднике; пусть будет сюрпризом. Мы говорили о жалованьи; только о жалованьи и любви; иногда о любви, иногда о жалованьи, иногда и о любви, и о жалованьи одновременно. Вот это да! Жена министра и ее дочь начали проявлять бурный интерес к нашим

ingenuities they invented to save us from interruption, and to keep the minister in the dark and unsuspicious — well, it was just lovely of them!

XVI

When the month was up at last, I had a million dollars to my credit in the London and County Bank, and Hastings was fixed in the same way. *Dressed at my level best*, I drove by the house in Portland Place, judged by the look of things that my birds were home again, went on towards the minister's and got my precious, and we started back, talking salary with all our might. She was so excited and anxious that it made her just intolerably beautiful. I said:

"Dearie, the way you're looking it's a crime to strike for a salary a single penny under three thousand a year."

"Henry, Henry, you'll ruin us!"

"Don't you be afraid. Just keep up those looks, and trust to me. It'll all come out right."

So, as it turned out, I had to keep bolstering up her courage all the way. She kept pleading with me, and saying:

"Oh, please remember that if we ask for too much we may get no salary at all; and then what will become of us, with no way in the world to earn our living?"

отношениям с Порцией. Какую бесконечную изобретательность они проявляли, чтобы спасти нас от чьего бы то ни было вмешательства и уберечь все от глаз министра!

XVI

Когда, наконец, месяц подошел к концу, я был обладателем миллиона долларов, который хранился в банке. Материальное положение Гастингса было ничуть не хуже. *Одетый как с иголочки*, я проехал мимо известного вам уже дома на Портлэнд Плэйс. Судя по всему, пташки вернулись домой. Затем я отправился к министру, забрал свою драгоценную Порцию, и мы отправились обратно, на Портлэнд Плэйс. Всю дорогу мы очень оживленно говорили о жалованьи. Порция была так взволнованна, что хорошела просто на глазах. Я сказал:

— Милая, то, как вы выглядите сейчас, дает нам полное право требовать зарплату в три тысячи в год. Меньше — было бы просто преступлением.

— Генри, Генри, вы нас разорите!

— Не бойтесь! Лишь оставайтесь так же изумительны, и верьте мне. Все выйдет, как нам оно нужно.

И так, я подбадривал ее всю дорогу. Она продолжала меня умолять:

— О! Помните, пожалуйста, что, если мы попросим слишком много, мы можем вообще остаться ни с чем; и тогда что с нами станет? Мы же не сможем зарабатывать себе на жизнь?

We were ushered in by that same servant, and there they were, the two old gentlemen. Of course, they were surprised to see that wonderful creature with me, but I said:

"It's all right, gentlemen; she is my future stay and help-mate."

And I introduced them to her, and called them by name. It didn't surprise them; they knew I would know enough to consult the directory. They seated us, and were very polite to me, and very solicitous to relieve her from embarrass-ment, and put her as much at her ease as they could. Then I said:

"Gentlemen, I am ready to report."

"We are glad to hear it," said my man, "for now we can decide the bet which my brother Abel and I made. If you have won for me, you shall have any situation in my gift. Have you the million-pound note?"

"Here it is, sir," and I handed it to him.

"I've won!" he shouted, and slapped Abel on the back. "Now what do you say, brother?"

"I say he did survive, and I've lost twenty thousand pounds. I never would have believed it."

"I've a further report to make," I said, "and a pretty long one. I want you to let me come soon, and detail my whole month's history; and I promise you it's worth hearing. Meantime, take a look at that."

Нас пригласил войти тот же слуга. Оба джентльмена были на месте. Конечно, они были крайне удивлены видеть со мной такое прелестное создание. Я же промолвил:

— Все прекрасно, любезные. Это моя невеста, мой друг и товарищ.

Я представил их по имени. Поражены они не были, прекрасно понимая, что ума у меня хватит, чтобы узнать их данные. Они нас усадили, были со мной очень вежливы. Проявили большую заботу, чтобы уменьшить смущение Порции. Сделали все возможное, чтобы она чувствовала себя в своей тарелке. Затем я сказал:

— Господа, я готов докладывать.

— Мы рады это слышать, — промолвил тот из них, кто обещал мне многое. — Теперь разрешится наш с моим братом Абелем спор. Если выиграю я, вы получите все, что в моей власти. Сохранили ли вы миллионную банкноту?

— Вот она, сэр, — и я передал ему купюру.

— Я выиграл! — закричал он, и хлопнул Абеля по спине. — Ну, что ты скажешь, братец?

— Я скажу, что он выжил, но я потерял двадцать тысяч фунтов. Никогда бы не поверил.

— У меня есть к вам еще кое-что, — сказал я. — Мне бы хотелось прийти как-нибудь и поведать обо всем в деталях. Обещаю вам, это стоит услышать. А между тем, посмотрите-ка сюда.

XVII

"What, man! Certificate of deposit for £200,000. Is it yours?"

"Mine. I earned it by thirty days' judicious use of that little loan you let me have. And the only use I made of it was to buy trifles and offer the bill in change."

"Come, this is astonishing! It's incredible, man!"

"Never mind, I'll prove it. Don't take my word unsupported."

But now Portia's turn was come to be surprised. Her eyes were spread wide, and she said:

"Henry, is that really your money? Have you been fibbing to me?"

"I have, indeed, dearie. But you'll forgive me, I know."

She put up an arch pout, and said:

"Don't you be so sure. You are a naughty thing to deceive me so!"

"Oh, you'll get over it, sweetheart, you'll get over it; it was only fun, you know. Come, let's be going."

"But wait, wait! The situation, you know. I want to give you the situation," said my man.

"Well," I said, "I'm just as grateful as I can be, but really I don't want one."

XVII

— Что это, Боже?! Счет на двести тысяч фунтов. И он ваш?

— Мой. Я заработал его за тридцать дней, честным образом используя то, что вы мне одолжили. Единственное, что я делал, это покупал всякую ерунду и предлагал разменять купюру.

— Послушайте, это невероятно! Это непостижимо!

— Не беспокойтесь, я докажу. Не верьте мне просто так!

Настала очередь Порции удивляться. Ее глаза широко раскрылись, и она произнесла:

— Генри, это, действительно, ваши деньги? Вы меня дурачили?

«Да, моя дорогая, это так. Но ведь вы меня простите, я это знаю».

Она надула свои прелестные губки и сказала:

— Не будьте таким самоуверенным. Это непростительно с вашей стороны!

— О, вы свыкнетесь с этой мыслью, милая. Это же шутка, понимаете? Пойдемте же.

— Постойте, постойте! Вы забыли про мое обещание? Мне хочется его выполнить, — сказал один из братьев.

— Не стоит, — промолвил я, — я вам безумно благодарен, но, право, не стоит.

"But you can have the very choicest one in my gift."

"Thanks again, with all my heart; but I don't even want that one."

"Henry, I'm ashamed of you. You don't half thank the good gentleman. May I do it for you?"

"Indeed, you shall, dear, if you can improve it. Let us see you try."

She walked to my man, got up in his lap, put her arm round his neck, and kissed him right on the mouth. Then the two old gentlemen shouted with laughter, but I was dumfounded, just petrified, as you may say. Portia said:

"Papa, he has said you haven't a situation in your gift that he'd take; and I feel just as hurt as..."

"My darling, is that your papa?"

"Yes; he's my step-papa, and the dearest one that ever was. You understand now, don't you, why I was able to laugh when you told me at the minister's, not knowing my relationships, what trouble and worry papa's and Uncle Abel's scheme was giving you?"

Of course, I spoke right up now, without any fooling, and went straight to the point.

"Oh, my dearest dear sir, I want to take back what I said. You have got a situation open that I want."

— Но вы не понимаете, от чего отказываетесь.

— Благодарю, благодарю от всей души. Но мне это уже не нужно.

— Генри, мне стыдно за вас. Вы даже не поблагодарите нормально этих милых джентльменов. Можно я сама сделаю это?

— Безусловно, можно, дорогая. Если ты сможешь, конечно. Посмотрим-ка.

И тут она подошла к брату-победителю, забралась к нему на колени, обвила руками его шею и поцеловала прямо в губы. Оба джентльмена расхохотались. Я же онемел. Окаменел, можно сказать.

— Папа, он говорит, что вы не можете дать ему то, что он хочет; я чувствую себя настолько обиженной...

— Дорогая, это ваш папа?

— Да; это мой отчим, лучший отчим на свете. Вы понимаете теперь, — не правда ли? — почему я так смеялась, когда вы мне рассказывали у министра, сколько беспокойств причинил вам план папы и дяди Абеля? Вы же не знали нашего родства!

И тут я, конечно, высказался прямо, без обиняков:

«О, мой наилюбезнейший сэр, позвольте мне взять обратно свои слова. У вас, действительно, есть та должность, которая мне нужна».

XVIII

"Name it."

"Son-in-law."

"Well, well, well! But you know, if you haven't ever served in that capacity, you, of course, can't furnish recommendations of a sort to satisfy the conditions of the contract, and so..."

"Try me, oh, do, I beg of you! Only just try me thirty or forty years, and if..."

"Oh, well, all right; it's but a little thing to ask, take her along."

Happy, we two? There are not words enough in the unabridged to describe it. And when London got the whole history, a day or two later, of my month's adventures with that banknote, and how they ended, did London talk, and have a good time? Yes.

My Portia's papa took that friendly and hospitable bill back to the Bank of England and cashed it; then the Bank canceled it and made him a present of it, and he gave it to us at our wedding, and it has always hung in its frame in the sacredest place in our home ever since. For it gave me my Portia. But for it I could not have remained in London, would not have appeared at the minister's, never should have met her. And so I always say, "Yes, it's a million-pounder, as you see; but it never made but one purchase in its life, and then got the article for only about a tenth part of its value."

XVIII

— Так назовите ее.

— Должность зятя.

— Ну, ну, ну! Но знаете ли, если вы никогда не были зятем, вы, конечно, не имеете представления, что нужно, чтобы удовлетворить наш договор и...

— Испытайте меня! Пожалуйста, умоляю вас! Только испытывайте меня в течение, скажем, тридцати-сорока лет, и уж если...

— Ну, хорошо! Вы просите совсем немного! Забирайте ее!

Счастливы ли мы? Не хватит слов, чтобы передать наше счастье. Денька через два, когда в Лондоне стала известна эта история, от начала и до конца — история моих приключений с этой банкнотой в течение месяца — и как все закончилось, весь город только об этом и говорил. Хорошо ли было нам? О, да!

Папа моей милой Порции отнес так хорошо отнесшуюся ко мне банкноту в Английский банк и разменял. Затем банк погасил ее и отдал моему тестю обратно. А он в свою очередь преподнес нам купюру в день свадьбы. И с тех пор она висит в рамочке в самом сокровенном местечке нашего дома. Ведь она подарила мне мою Порцию. Если бы не банкнота, я бы не продержался так долго в Лондоне, не появился бы никогда в доме у министра, никогда бы не встретил ее. И вот я всегда говорю: «Да, это та самая банкнота в миллион фунтов, как видите; ни единой вещи не было на нее приобретено. Но она подарила мне то, что стоит в десять раз больше».

Taming the Bicycle
Укрощение велосипеда

I

I thought the matter over, and concluded I could do it. So I went down and bought a barrel of Pond's Extract and a bicycle. The Expert came home with me to instruct me. We chose the back yard, *for the sake of privacy*, and went to work.

Mine was not a full-grown bicycle, but only a colt — a fifty-inch, with the pedals shortened up to forty-eight — and skittish, like any other colt. The Expert explained *the thing's points briefly*, then he got on its back and rode around a little, to show me how easy it was to do. He said that the dismounting was perhaps the hardest thing to learn, and so we would leave that to the last. But he was in error there. He found, to his surprise and joy, that all that he needed to do was to get me on to the machine and stand out of the way; I could get off, myself. Although I was wholly inexperienced, I dismounted in the best time on record. He was on that side, shoving up the machine; we all came down with a crash, he at the bottom, I next, and the machine on top.

I

Я все обдумал и пришел к заключению, что у меня получится. И купил бочонок целебной мази и велосипед. Из магазина я вернулся вместе с инструктором. *Чтобы не привлекать к себе внимания*, мы отправились на задний двор и там приступили к работе.

Мой велосипед был не взрослой особью, а еще жеребенком — пятьдесят дюймов в холке, с педалями, укороченными до сорока восьми дюймов — и норовистый, как и положено жеребенку. Инструктор *вкратце объяснил мне все*, что следует, а затем вскочил на него верхом и проехался немного, чтобы продемонстрировать, как это легко. Он сказал, что, возможно, самое сложное — это слезать с велосипеда, и это мы оставим на потом. Но тут он ошибся. К своим радости и удивлению, он обнаружил, что все, что от него требуется, это водрузить меня в седло и убраться с дороги; слезть мне удалось самостоятельно. Хоть я и был неопытным новичком, я продемонстрировал наилучшее время спуска. Когда мы с грохотом рухнули вниз, инструктор подстраховывал велосипед, находясь сбоку от него; и он оказался внизу, я — на нем, а велосипед — на вершине.

We examined the machine, but it was not in the least injured. This was hardly believable. Yet the Expert assured me that it was true; in fact, the examination proved it. I was partly to realize, then, how admirably these things are constructed. We applied some Pond's Extract, *and resumed*. The Expert got on the OTHER side to shove up this time, but I dismounted on that side; so the result was as before.

The machine was not hurt. We oiled ourselves again, and resumed. This time the Expert took up a sheltered position behind, but somehow or other we landed on him again.

He was full of admiration; said it was abnormal. She was all right, not a scratch on her, not a timber started anywhere. I said it was wonderful, while we were greasing up, but he said that when I came to know these steel spider-webs I would realize that nothing but dynamite could cripple them. Then he limped out to position, and we resumed once more. This time the Expert took up the position of short-stop, and got a man to shove up behind. We got up a handsome speed, and presently traversed a brick, and I went out over the top of the tiller and landed, head down, on the instructor's back, and saw the machine fluttering in the air between me and the sun. It was well it came down on us, *for that broke the fall*, and it was not injured.

Five days later I got out and was carried down to the hospital, and found the Expert doing pretty fairly. In a few more days I was quite sound. I attribute this to my prudence in always dismounting on something soft. Some recommend a feather bed, but I think an Expert is better.

Мы осмотрели велосипед, но повреждений не нашли. В это невозможно было поверить. Но инструктор заверил меня, что так оно и есть, а осмотр подтвердил его слова. Тогда я был вынужден отчасти признать, что некоторые механизмы имеют совершенную конструкцию. Мы прибегнули к помощи целебной мази *и продолжили урок*. На этот раз инструктор страховал меня с ДРУГОЙ стороны, но именно с нее я и свалился; результат был в точности таким же, что и в первый раз.

Повреждений у велосипеда не нашлось. Мы намазались мазью и продолжили занятия. Теперь инструктор благоразумно встал позади велосипеда, но так или иначе, мы вновь приземлились на него.

Он был потрясен и уверял, что это противоестественно. С велосипедом было все в порядке — ни царапинки, ни единой занозы. Пока мы натирались мазью, я говорил, что это просто удивительно, но он сказал, что когда я сведу более близкое знакомство с этими стальными паутинами, то пойму, что лишь динамит может их покалечить. Затем он принял боевую стойку, и мы опять взялись за свое. На этот раз инструктор бежал впереди, страхуя меня у себя за спиной. Мы развили замечательную скорость, налетели на кирпич, я перекувыркнулся через руль и приземлился вниз головой на спину инструктора, успев заметить, как велосипед мелькнул в воздухе между мной и солнцем. Хорошо, что он упал на нас — *это смягчило удар*, и велосипед не получил повреждений.

Пять дней спустя я выбрался из дома, чтобы меня отвезли в больницу проведать инструктора. Он поправлялся. Еще через несколько дней и я почувствовал себя вполне здоровым. Я приписываю это моему благоразумию: я всегда приземлялся на что-либо мягкое. Кое-кто рекомендует для этих целей пуховую перину, но я считаю, что инструктор лучше.

The Expert got out at last, brought four assistants with him. It was a good idea. These four held the graceful cobweb upright while I climbed into the saddle; then they formed in column and marched on either side of me while the Expert pushed behind; all hands assisted at the dismount.

The bicycle had what is called the "wabbles", and had them very badly. In order to keep my position, a good many things were required of me, and in every instance the thing required was against nature. That is to say, that whatever the needed thing might be, my nature, habit, and breeding moved me to attempt it in one way, while some immutable and unsuspected law of physics required that it be done in just the other way. I perceived by this how radically and grotesquely wrong had been the life-long education of my body and members. They were steeped in ignorance; they knew nothing — nothing which it could profit them to know. For instance, if I found myself falling to the right, I put the tiller hard down the other way, *by a quite natural impulse*, and so violated a law, and kept on going down. The law required the opposite thing — the big wheel must be turned in the direction in which you are falling. It is hard to believe this, when you are told it. And not merely hard to believe it, but impossible; it is opposed to all your notions. And it is just as hard to do it, after you do come to believe it. Believing it, and knowing by the most convincing proof that it is true, does not help it: you can't any more DO it than you could before; you can neither force nor persuade yourself to do it at first. The intellect has to come to the front, now. It has to teach the limbs to discard their old education and adopt the new.

Инструктор, наконец-то, выбрался из больницы и привел с собой четырех помощников. Отличная идея! Эти четверо удерживали изящные стальные паутины в вертикальном положении, пока я взбирался в седло; а затем они перестроились в две колонны и побежали с обеих сторон от меня, в то время как инструктор подталкивал велосипед сзади. Слезать мне помогали все вместе.

Велосипед выписывал так называемые «восьмерки», и они были очень ощутимы. Чтобы удержать при этом равновесие, от меня требовалось куча всяких уверток, и каждой такой увертке противилось все мое существо. Иными словами, всякий раз, когда нужно было применить подобную увертку, вся моя природа, мои привычки, мое воспитание подталкивали меня к тому, чтобы поступить одним образом, в то время как некие скрытые и непредсказуемые законы физики настаивали на том, чтобы я поступил другим образом. Это заставило меня осознать, с какими ужасающими и изощренными ошибками до сих пор воспитывалось мое тело. Оно погрязло в невежестве, и не знало буквально ничего, что могло бы сослужить ему добрую службу. Например, когда я чувствовал, что падаю в правую сторону, я, *в силу совершенно естественного порыва*, выкручивал руль в другую сторону, но этим я нарушал закон природы и довершал свое падение. Закон требовал прямо противоположного: переднее колесо нужно поворачивать в ту же сторону, в какую падаешь. Когда об этом слышишь, то поверить в это трудно. И не просто трудно, а невозможно — это противоречит всем твоим представлениям. А когда ты в этом наконец-то убедился, не менее трудно оказывается это проделать. Веря в это и имея всяческие подтверждения того, что это правда, ты оказываешься не более способным СДЕЛАТЬ это, чем прежде; поначалу невозможно ни принудить себя, ни убедить. И тогда на первый план выходит разум. Его задача — заставить тело забыть все, что оно знало до сих пор, и освоить новое.

The steps of one's progress are distinctly marked. At the end of each lesson he knows he has acquired something, and he also knows what that something is, and likewise that it will stay with him. It is not like studying German, where you mull along, in a groping, uncertain way, for thirty years; and at last, just as you think you've got it, they spring the subjunctive on you, and there you are. No, and I see now, plainly enough, that the great pity about the German language is, that you can't fall off it and hurt yourself. *There is nothing like that feature to make you attend strictly to business.* But I also see, by what I have learned of bicycling, that the right and only sure way to learn German is by the bicycling method. That is to say, take a grip on one villainy of it at a time, leaving that one half learned.

When you have reached the point in bicycling where you can balance the machine tolerably fairly and propel it and steer it, then comes your next task — how to mount it. You do it in this way: you hop along behind it on your right foot, resting the other on the mounting-peg, and grasping the tiller with your hands. At the word, you rise on the peg, stiffen your left leg, hang your other one around in the air in a general in indefinite way, lean your stomach against the rear of the saddle, and then fall off, maybe on one side, maybe on the other; but you fall off. You get up and do it again; and once more; and then several times.

By this time you have learned to keep your balance; and also to steer without wrenching the tiller out by the roots (I say tiller because it IS a tiller; "handle-bar" is a lamely descriptive phrase). So you steer along, straight ahead,

Твои шаги вперед будут отчетливо заметны. В конце каждого урока ты будешь знать, что что-то выучил, а также, чем именно это «что-то» является. Кроме того, ты будешь знать, что это «что-то» от тебя уже никуда не уйдет. Это не так как при изучении немецкого языка, когда двигаешься вперед наощупь и впотьмах в течение тридцати лет, чтобы в итоге, когда ты уже уверен в своей победе, на тебя обрушилось сослагательное наклонение и заставило начинать все по-новой. Нет — и теперь я отчетливо это вижу — вся беда немецкого языка в том, что с него нельзя свалиться и набить себе шишки. *Шишки — прекрасный повод взяться за дело серьезно.* А еще я вижу, основываясь на том, что я узнал о катании на велосипеде, что верный и единственно надежный способ выучить немецкий — это велосипедный метод. Иными словами: покрепче вцепиться в какую-то одну из тех гадостей, которые он может тебе подсунуть, бросив предыдущую недоученной.

Когда в своих упражнениях ты дошел до такого этапа, на котором уже можешь более или менее удерживать равновесие, крутить педали и поворачивать руль, пора приступать к следующей задаче — как на него взбираться. Делается это следующим образом: прыгаешь за ним вперед на правой ноге, держа левую на педали и вцепившись в руль. По команде упираешься левой ногой в педаль (правая с неопределенностью болтается в воздухе), наваливаешься животом на заднюю часть седла и падаешь — может, направо, может, налево, но падаешь обязательно. Поднимаешься — и проделываешь то же самое еще раз. И так раз за разом.

К этому времени ты научишься удерживать равновесие, а также поворачивать, не выдергивая руль с корнем. Итак, ведем машину прямо, затем, стоя на педали, подаемся вперед, с усилием переносим правую ногу через

a little while, then you rise forward, with a steady strain, bringing your right leg, and then your body, into the saddle, catch your breath, fetch a violent hitch this way and then that, and down you go again.

But you have ceased to mind the going down by this time; you are getting to light on one foot or the other with considerable certainty. Six more attempts and six more falls make you perfect. You land in the saddle comfortably, next time, and stay there — that is, if you can be content to let your legs dangle, and leave the pedals alone a while; but if you grab at once for the pedals, *you are gone again*. You soon learn to wait a little and perfect your balance before reaching for the pedals; then the mounting-art is acquired, is complete, and a little practice will make it simple and easy to you, though spectators ought to keep off a rod or two to one side, along at first, if you have nothing against them.

And now you come to the voluntary dismount; *you learned the other kind first of all*. It is quite easy to tell one how to do the voluntary dismount; the words are few, the requirement simple, and apparently undifficult; let your left pedal go down till your left leg is nearly straight, turn your wheel to the left, and get off as you would from a horse. It certainly does sound exceedingly easy; but it isn't. I don't know why it isn't but it isn't. Try as you may, you don't get down as you would from a horse, you get down as you would from a house afire. You make a spectacle of yourself every time.

седло, усевшись, стараемся не дышать, но вдруг мощный толчок вправо или влево — и ты опять кувырком летишь вниз.

Однако на кувырки уже не обращаешь внимания; рано или поздно ты начинаешь с уверенностью приземляться на ту или иную ногу. Еще шесть попыток и шесть падений доводят тебя до совершенства. В очередной раз ты уже довольно ловко усаживаешься в седло и остаешься в нем, — если, конечно, не придавать значения тому, что ноги болтаются в воздухе, и на время оставить педали в покое; а если сразу хвататься за педали, *то тебе конец*. Вскоре привыкаешь ставить ноги на педали лишь после того, как привел машину в равновесие, и после этого можно считать, что ты владеешь искусством садиться на велосипед. Немного практики — и это будет проще простого, хотя зрителям поначалу лучше держаться подальше, если ты против них ничего не имеешь.

И вот мы приступаем к соскокам с велосипеда по собственному желанию; *соскоки против желания были первым, что ты освоил*. Рассказать о том, как соскакивают по собственному желанию, довольно легко; для этого можно обойтись всего парой слов, требования простые. Нужно давить вниз на левую педаль до тех пор, пока нога не выпрямится, повернуть колесо влево и соскочить так, как если бы ты соскакивал с лошади. Конечно, на словах это раз плюнуть, но на деле все совсем не так. Почему, не знаю, но не так. Сколько ни старайся, получается, что спрыгиваешь не с лошади, а с крыши дома во время пожара. И каждый раз устраиваешь зевакам настоящее представление.

II

During the eight days I took a daily lesson an hour and a half. At the end of this twelve working-hours' apprenticeship I was graduated, *in the rough*. I was pronounced competent to paddle my own bicycle without outside help. It seems incredible, this celerity of acquirement. It takes considerably longer than that to learn horseback-riding in the rough.

Now it is true that I could have learned without a teacher, but it would have been risky for me, because of my natural clumsiness. The self-taught man seldom knows anything accurately, and he does not know a tenth as much as he could have known if he had worked under teachers; and, besides, he brags, and is the means of fooling other thoughtless people into going and doing as he himself has done. There are those who imagine that the unlucky accidents of life — life's "experiences" — are in some way useful to us. *I wish I could find out how.* I never knew one of them to happen twice. They always change off and swap around and catch you on your inexperienced side. If personal experience can be worth anything as an education, it wouldn't seem likely that you could trip Methuselah; and yet if that old person could come back here it is more than likely that one of the first things he would do would be to take hold of one of these electric wires and tie himself all up in a knot. Now the surer thing and the wiser thing would be for him to ask somebody whether it was a good thing to take hold of. But that would not suit him; *he would be one of the self-taught kind that go by experience*; he would want to examine for himself. And he would find, for his instruction, that the coiled patriarch shuns the electric wire; and it would be useful to him, too, and would leave his education in quite a complete and rounded-out condition, till he

II

Восемь дней подряд меня учили каждый день по полтора часа. По окончании этого двенадцатичасового курса наук я получил ученую степень — *в общих чертах*. Мне объявили, что я в состоянии кататься на собственном велосипеде без посторонней помощи. Скорость усвоения мной материала, может показаться невероятной. Чтобы в общих чертах научиться ездить верхом, нужно гораздо меньше времени.

Я, конечно, мог бы этому научиться и без инструктора, но из-за моей врожденной неуклюжести это было бы делом рискованным. Самоучка редко умеет что-либо делать с должной тщательностью, и потом, он не знает и десятой доли того, что мог бы узнать, если бы им руководил инструктор. Кроме того, он сбивает с пути других недалеких людей, вдохновляя их повторить его собственный путь. Есть люди, которые воображают, будто неудачи на жизненном пути могут быть нам полезны. *Хотел бы я знать, чем?* Никогда не сталкивался с тем, чтобы эти неудачи повторялись. Они всегда так или иначе изменяются, перестраиваются и набрасываются на вас с неопытной стороны. Если бы личный опыт стоил любого образования, вряд ли вам удалось бы застать врасплох Мафусаила, но бьюсь об заклад, что если бы старик вдруг ожил, то первое, что он сделал бы — это ухватился за какой-нибудь электрический провод так, что его от этого скрутило бы в узел. А ведь умнее и безопаснее для него было бы сначала спросить кого-нибудь, можно ли хвататься за провод. Но это ему не подошло бы — *ведь он один из тех самоучек, которые до всего доходят собственным опытом*, он решил бы поставить над собой эксперимент. И уяснил бы на будущее, что закрученный в узел патриарх должен остерегаться электрических проводов; ему это было бы полезно и прекрасно завершило бы его воспитание — до тех пор, пока в один

should come again, some day, and go to bouncing a dyna-mite-can around to find out what was in it.

But we wander from the point. However, get a teacher; it saves much time and Pond's Extract.

Before taking final leave of me, my instructor inquired concerning my physical strength, and I was able to inform him that I hadn't any. He said that that was a defect which would make up-hill wheeling pretty difficult for me at first; but he also said the bicycle would soon remove it. The contrast between his muscles and mine was quite marked. He wanted to test mine, so I offered my biceps — which was my best. It almost made him smile. He said, "It is pulpy, and soft, and yielding, and rounded; it evades pressure, and glides from under the fingers; in the dark a body might think it was an oyster in a rag." Perhaps this made me look grieved, for he added, briskly: "Oh, that's all right, you needn't worry about that; in a little while you can't tell it from a petrified kidney. Just go right along with your practice; you're all right."

Then he left me, and I started out alone to seek adventures. You don't really have to seek them — that is nothing but a phrase — they come to you.

I chose a reposeful Sabbath-day sort of a back street which was about thirty yards wide between the curbstones. I knew it was not wide enough; still, I thought that by keeping strict watch and wasting no space unnecessarily I could crowd through.

Of course I had trouble mounting the machine, entirely on my own responsibility, with no encouraging moral support from the outside, no sympathetic instructor to say,

прекрасный день он не вздумал бы потрясти жестянку с динамитом, чтобы узнать, что в ней находится.

Но мы отвлеклись. Как бы там ни было, возьмите себе инструктора — это сберегает силы и целебную мазь.

Прежде чем со мной расстаться, инструктор справился о том, есть ли у меня силы, и я признался, что нет. Он сказал, что это большой недостаток, из-за которого мне поначалу будет весьма трудно катить в гору; но, добавил он, велосипед вскоре устранит этот недостаток. Контраст между его мускулами и моими мускулами был очевиден. Он захотел попробовать мои — и я предложил ему бицепс — мой самый развитый мускул. Он едва удержался от улыбки. Он сказал: «Бицепс у вас дряблый, мягкий, податливый и круглый, скользит из-под пальцев, в темноте его можно принять за устрицу в тряпке». Наверное, на лице у меня было написано огорчение, потому что он тут же добавил: «Да не волнуйтесь вы: скоро его будет не отличить от окаменевшей почки. Продолжайте тренировки, и все будет в порядке».

На этом он меня покинул, и я в одиночестве отправился на поиски приключений. На самом деле это лишь слова — их и искать не нужно — приключения сами вас находят.

Я выбрал безлюдный, по-воскресному тихий переулок, мостовая которого была тридцать ярдов шириной. Я знал, что этого недостаточно, но все же думал, что если быть начеку и использовать пространство экономно, то места должно хватить.

На велосипед я, конечно, забрался с трудом, поскольку был предоставлен самому себе, безо всякой моральной поддержки со стороны и сочувствующего инструктора,

"Good! now you're doing well — good again — don't hurry — there, now, you're all right — brace up, go ahead." In place of this I had some other support. This was a boy, who was perched on a gate-post munching a hunk of maple sugar.

He was full of interest and comment. The first time I failed and went down he said *that if he was me he would dress up in pillows, that's what he would do.* The next time I went down he advised me to go and learn to ride a tricycle first. The third time I collapsed he said he didn't believe I could stay on a horse-car. But the next time I succeeded, and got clumsily under way in a weaving, tottering, uncertain fashion, and occupying pretty much all of the street. My slow and lumbering gait filled the boy to the chin with scorn, and he sung out, "My, but don't he rip along!" Then he got down from his post and loafed along the sidewalk, still observing *and occasionally commenting*. Presently he dropped into my wake and followed along behind. A little girl passed by, balancing a wash-board on her head, and giggled, and seemed about to make a remark, but the boy said, rebukingly, "Let him alone, he's going to a funeral."

I have been familiar with that street for years, and had always supposed it was a dead level; but it was not, as the bicycle now informed me, to my surprise. The bicycle, in the hands of a novice, is as alert and acute as a spirit-level in the detecting the delicate and vanishing shades of difference in these matters. It notices a rise where your untrained eye would not observe that one existed; it notices any decline which water will run down. I was toiling up a slight rise, but was not aware of it. It made me tug and pant and perspire; and still, labor as I might, the machine

который говорил бы мне: «Хорошо! Вот так, правильно — отлично — не спешите — спокойно, все в порядке, соберитесь с силами, вперед». Впрочем, поддержка все же нашлась. Это был мальчишка, который, сидя на заборе, жевал кусок кленового сахара.

Он живо заинтересовался происходящим и без конца подавал мне советы. Когда я в первый раз полетел с велосипеда на мостовую, он сказал, *что на моем месте весь обвязался бы подушками — да, именно так он бы и поступил!* После второго падения он посоветовал мне для начала освоить трехколесный велосипед. В третий раз он заявил, что я не удержусь и на телеге. В четвертый раз мне удалось не упасть, и я неуклюже покатился, выписывая на мостовой крендели, кренясь из стороны в сторону и занимая собой почти всю улицу. При виде того, как я неловок и медлителен, мальчишка буквально раздулся от презрения и заорал: «Вот это да! Поглядите на рекордсмена!» После чего слез с забора и зашагал по тротуару, не выпуская меня из виду и, *то и дело отпуская едкое словцо.* А затем соскочил с тротуара и увязался следом за мной. Мимо проходила девочка, держащая на голове стиральную доску; она хихикнула и уже собиралась как-то меня поддеть, но мальчишка заявил тоном миротворца: «Не трогай его, он едет на похороны».

Я знаю эту улицу давным-давно, и всегда считал, что она плоская, как стол; но сейчас к моему удивлению велосипед проинформировал меня, что это не так. Велосипед в руках новичка так же подвижен и чувствителен, как точный прибор, отмечая самые тонкие и неприметные отклонения от прямой. Он чувствует подъем там, где неопытный глаз его и не заметил бы; он чувствует наклон везде, где стекает вода. Сам того не замечая, я все это время ехал в гору. Я выбивался из сил, пыхтел, обливался по́том, но, несмотря на все мои труды, велосипед

came almost to a standstill every little while. At such times the boy would say: "That's it! take a rest, there ain't no hurry. They can't hold the funeral without YOU."

Stones were a bother to me. Even the smallest ones gave me a panic when I went over them. I could hit any kind of a stone, no matter how small, if I tried to miss it; and of course at first I couldn't help trying to do that. It is but natural. It is part of the ass that is put in us all, for some inscrutable reason.

It was at the end of my course, at last, and it was necessary for me to round to. This is not a pleasant thing, when you undertake it for the first time on your own responsibility, and neither is it likely to succeed. Your confidence oozes away, you fill steadily up with nameless apprehensions, every fiber of you is tense with a watchful strain, you start a cautious and gradual curve, but your squirmy nerves are all full of electric anxieties, so the curve is quickly demoralized into a jerky and perilous zigzag; then suddenly the nickel-clad horse takes the bit in its mouth and goes slanting for the curbstone, defying all prayers and all your powers to change its mind — your heart stands still, your breath hangs fire, your legs forget to work, straight on you go, and there are but a couple of feet between you and the curb now. And now is the desperate moment, the last chance to save yourself; of course all your instructions fly out of your head, and you whirl your wheel AWAY from the curb instead of TOWARD it, and so you go sprawling on that granite-bound inhospitable shore. That was my luck; that was my experience. I dragged myself out from under the indestructible bicycle and sat down on the curb to examine.

поминутно вставал на месте. А мальчишка тут же кричал: «Правильно! Выпусти пар, нечего пороть горячку. Без тебя хоронить не начнут».

Камни были для меня настоящей бедой. Даже самые крохотные заставляли меня обливаться холодным по́том, стоило налететь на один из них. А налетал я на любой камень, каким бы маленьким он ни был, как только пытался его объехать, а не объезжать его я не мог. Это вполне естественно. В каждом из нас, непонятно почему, всегда сидит толика ослиного упрямства.

Наконец мои упражнения подошли к концу, и нужно было поворачивать обратно. Когда в первый раз делаешь поворот самостоятельно, то приятного мало, да и шансов на успех почти никаких. Вы теряете уверенность в себе, вас начинают переполнять всякие непонятные предчувствия, каждая мышца цепенеет от напряжения, и та кривая, которую вы начинали описывать, тут же становится дергающимся и опасным для жизни зигзагом. Неожиданно стальной конь закусывает удила и, ошалев, лезет на тротуар, несмотря на все мольбы седока и все его старания свернуть на мостовую. Сердце у тебя уходит в пятки, дыхание замирает, ноги деревенеют, а тротуар все ближе и ближе. И вот — решительный момент, твой последний шанс на спасение. Но тут, разумеется, все инструкции разом вылетают из головы, и ты поворачиваешь колесо ОТ тротуара, вместо того, чтобы повернуть К тротуару, и растягиваешься во весь рост на этом негостеприимном, гранитном берегу. Так уж мне везет; все-то я испытываю на собственной шкуре. Я выполз из-под неуязвимой машины и уселся на тротуар считать свои раны.

I started on the return trip. It was now that I saw a farmer's wagon poking along down toward me, loaded with cabbages. If I needed anything to perfect the precariousness of my steering, it was just that. The farmer was occupying the middle of the road with his wagon, leaving barely fourteen or fifteen yards of space on either side. I couldn't shout at him — a beginner can't shout; if he opens his mouth he is gone; he must keep all his attention on his business. But in this grisly emergency, the boy came to the rescue, and for once I had to be grateful to him. *He kept a sharp lookout* on the swiftly varying impulses and inspirations of my bicycle, and shouted to the man accordingly:

"To the left! Turn to the left, or this jackass'll run over you!" The man started to do it. "No, to the right, to the right! Hold on! THAT won't do! to the left! to the right! to the LEFT — right! left... ri... Stay where you ARE, *or you're a goner!*"

And just then I caught the off horse in the starboard and went down in a pile.

I said, "Hang it! Couldn't you SEE I was coming?"

"Yes, I see you was coming, but I couldn't tell which WAY you was coming. Nobody could, now, COULD they? You couldn't yourself, now, COULD you? So what could I do?"

There was something in that, and so I had the magnanimity to say so. I said I was no doubt as much to blame as he was.

Я пустился в обратный путь. Но тут я приметил повозку, катившуюся мне навстречу и полную кочанов капусты. Если чего-то и не доставало, чтоб довести опасность до предела, так именно этого. Фермер с возом занимал середину улицы, и с каждой его стороны оставалось каких-нибудь четырнадцать-пятнадцать ярдов свободного места. Окликнуть его я не мог — новичку кричать нельзя: стоит ему открыть рот — ему крышка; все его внимание должно быть сосредоточено на велосипеде. Но в минуту опасности на помощь мне пришел мальчишка, и на этот раз я был ему весьма признателен. *Он зорко следил* за тем, как порывисто и непредсказуемо дергается моя машина, и извещал фермера:

— Налево! Поворачивай налево, или эта тупая задница тебя переедет! — Фермер начинал поворачивать. — Нет, направо, направо! Стой! ТАК не пойдет! Налево! Направо! НАЛЕВО! Право! Лево! Пра... Стой, где стоишь, *иначе тебе каюк!*

Но как раз в этот момент я врезался в лошадь, шедшую по правому борту, и велосипед накрыл меня с головой. Я сказал:

— Черт бы тебя подрал! Ты, что, не ВИДЕЛ, что я еду?

— Видеть-то я видел, но откуда ж я знал, КУДА вы едете? Никто бы не догадался, куда вы рулите. Вы хоть сами-то знали, КУДА? Так чего же вы от меня хотите?

В этом была своя правда, и я великодушно с ним согласился. Я сказал, что мы с ним оба были хороши, это факт.

Within the next five days I achieved so much progress that the boy *couldn't keep up with me.* He had to go back to his gate-post, and content himself with watching me fall at long range.

There was a row of low stepping-stones across one end of the street, a measured yard apart. Even after I got so I could steer pretty fairly I was so afraid of those stones that I always hit them. They gave me the worst falls I ever got in that street, *except those which I got from dogs.* I have seen it stated that no expert is quick enough to run over a dog; that a dog is always able to skip out of his way. I think that that may be true: but I think that the reason he couldn't run over the dog was because he was trying to. I did not try to run over any dog. But I ran over every dog that came along. I think it makes a great deal of difference. If you try to run over the dog he knows how to calculate, but if you are trying to miss him he does not know how to calculate, and is liable to jump the wrong way every time. It was always so in my experience. Even when I could not hit a wagon I could hit a dog that came to see me practice. They all liked to see me practice, and they all came, for there was very little going on in our neighborhood to entertain a dog. It took time to learn to miss a dog, but I achieved even that.

I can steer as well as I want to, now, and I will catch that boy one of these days and run over HIM if he doesn't reform. Get a bicycle. You will not regret it, if you live.

Дней через пять я так насобачился, что мальчишка *не мог за мной угнаться*. Ему пришлось опять залезать на забор и издали смотреть, как я падаю.

В одном конце переулка было несколько невысоких каменных опор для перехода улицы на расстоянии ярда одна от другой. Даже после того, как я научился ловко управлять своей машиной, я так боялся этих опор, что всегда наезжал на них. Они стали причиной самых ужасных моих падений, *если только не считать собак*. Утверждается, что даже первоклассному спортсмену не удастся переехать собаку: она всегда увернется с дороги. Возможно, это и правда, но, думаю, что переехать собаку не удастся именно тому, кто будет пытаться это сделать. Я же просто наезжал на каждую собаку, которая попадалась мне под колеса. В этом-то вся и разница. Если пытаешься наехать на собаку, она поймет, как увернуться, но если пытаешься ее объехать, то она не рассчитает в какую сторону отпрыгивать, и всякий раз будет прыгать не в ту. В моем случае это было именно так. Если даже мне удавалось не врезаться в какую-нибудь повозку, я непременно наезжал на собаку, которая выскочила посмотреть, как я катаюсь. Всем им нравилось на меня глядеть, потому что у нас по соседству редко случалось что-нибудь интересное для собак. Чтобы научиться объезжать собак стороной потребовалось немало времени, однако я преуспел даже в этом.

Теперь я рулю, куда хочу, и как-нибудь поймаю этого мальчишку и перееду его, если он не исправится. Купите себе велосипед. Не пожалеете, если останетесь живы.

RUNNING FOR GOVERNOR

1. Найдите в тексте английские эквиваленты слов и словосочетаний. Выпишите их.

баллотироваться, преимущество, в последние годы, преступление, тайно, стыдиться чего-л., наткнуться, объяснить, бедная вдова, бессердечный, пресловутый, сограждане, время от времени, достопочтенный, добиться успеха, родственники и друзья, обвинять, праведное негодование, привлекать внимание, доказать, подозрение, к тому времени, продолжать молчать, унижение, сдаваться.

2. Заполните пропуски подходящим словом или словосочетанием.

> crazed and helpless
> since
> of poisoning my uncle
> disturbed
> attracted my attention

1) I grew more and more _____.
2) I did not know what to do. I was _____.
3) The next newspaper article that _____ was the following...
4) Three long years had passed over my head _____ I had tasted ale, beer, wine or liquor of any kind.
5) Then came the charge _____ to get his property, with an imperative demand that the grave should be opened.

3. Напишите противоположные по значению слова и выражения.

easy _____   familiar _____

happiness _____   quick _____

lie _____   innocent _____

absence _____   important _____

honest _____   send _____

4. Поясните значение слов, выделенных курсивом.

1) It was plain that in these latter years they had become familiar with all manner of *shameful crimes*.

2) You have never done a single thing in all your life to be *ashamed* of, not one.

3) But after all I could not *recede*.

4) As I was *looking listlessly* over the papers at breakfast I *came across* this paragraph, and I may truly say I never was so confounded before.

5) The Independents pretend that they did not know what was *the real reason* of the absence of the abandoned creature whom they denominate their standard-bearer.

5. Напишите формы глаголов.

	Прошедшее время	Причастие II	Перевод
feel			
bear			
hear			
grow			
comprehend			
say			
throw			
refer			

THE STOLEN WHITE ELEPHANT

1. Найдите в тексте английские эквиваленты слов и словосочетаний. Выпишите их.

случайный попутчик, семидесяти лет, священный, знак благодарности, необходимо, быть вне себя от ужаса, производить впечатление, неординарный человек, предложить вознаграждение, для начала, по стилю его работы, разгадка, в гражданской одежде, описание, пожать руку, мельчайшие подробности, предотвращать преступления, настаивать на чем-либо, текущие расходы, безрезультатно, соучастник, полнейшая секретность.

2. Напишите транскрипцию слов. Выучите их.

curious, thoroughly, measure, relieved, elephant, admirable, calmly, clerks, care, retired, description, suggest, possibility, furnish, informed, usual, thoughtful, doubtless, meantime, ragged, appear, unobserved.

3. Заполните пропуски правильной формой глагола в скобках.

1) I _____ (*to say*) I _____ (*to think*) it ought to be offered to anybody who _____ (*to catch*) the elephant.

2) It _____ (*to be*) soon apparent that all trace of the elephant was lost. The fog _____ (*to enable*) him to search out a good hiding-place unobserved.

3) He _____ (*to say*) he _____ (*to be*) confident he _____ (*can/to compromise*) for one hundred thousand dollars and recover the elephant.

4) I _____ (*to say*) I _____ (*to believe*) I could scrape the amount together, but what _____ (*to become*) of the poor detectives who _____ (*to work*) so faithfully?

5) "We _____ (*to compromise*)! The jokers _____ (*to sing*) a different tune tomorrow!"

4. Дополните предложения.

1) Then I grew calmer and collected ... .

2) By advice of the inspector I doubled ... .

3) He took a pen and some paper. "Now, name ... ?"

4) "Well, as to what he eats, he will ...."

5) "Now he is right in the midst of my men," said the inspector. "... ."

5. Заполните пропуски предлогами там, где необходимо.

1) "I wish I could communicate _____ them and order them _____ north, but that is impossible. A detective only visits _____ a telegraph office to send his report; then he is off again, and you don't know where to put your hand _____ him."

2) We shall not have to wait long _____ an answer.

3) _____ nightfall a fog shut _____ which was so dense that objects but three feet _____ could not be discerned.

4) _____ next morning the papers were as full _____ detective theories as before.

5) Telegrams _____ the most absurdly distant points reported that a dim vast mass had been glimpsed there _____ the fog _____ such and such an hour.

6. Составьте 10 вопросов к тексту.

MY WATCH

1. **Найдите в тексте английские эквиваленты слов и словосочетаний. Выпишите их.**

   отставать и спешить (*о часах*), механизм, приободриться, наобум, точное время, оставить в покое, изо дня в день, по правде говоря, разобрать на части, жужжать как пчела, стрелки, интересоваться, внимательно осмотреть.

2. **Выберите и подчеркните правильную форму глагола.**

   1) He *ask/asked/was asking* me if I *had ever have/has/ had* it repaired.

   2) He *said/says/saying* it *wants/want/wanted* cleaning and oiling.

   3) I *said/says/saying* I *were/is/was* glad it *were/was/ are* nothing more serious.

   4) The watch *costs/costed/had cost* two hundred dollars originally, and I *to seem/seemed/seem* to have paid out two or three thousand for repairs.

   5) He *examined/have examined/to examine* all the parts carefully, just as the other watchmakers *did/do/had done*, and then *to deliver/delivered/delivering* his verdict with the same confidence of manner.

3. **Вставьте пропущенные буквы.**

   wa__chm__ker with__ __   c__bba__e ch__er
   __njoyin__   th__ __teen cl__an__d monk__ __
   app__int__ent p__eces   no__ __ing ch__n__e

4. Соедините слова, чтобы получились словосочетания. Найдите в тексте предложения с этими словосочетаниями и переведите их на русский язык.

the exact	happiness
within	carefully
vicious	round
half	a day
to spin	time
to examine	the week

5. Напишите степени сравнения прилагательных.

beautiful		
mild		
serious		
ignorant		
fresh		
old		
heavy		
good		
new		

6. Выразите основную мысль текста.

THE £1,000,000 BANKNOTE

1. Найдите в тексте английские эквиваленты слов и словосочетаний. Выпишите их.

быть одиноким, вынести в открытое море, ступить на берег, жаркий спор, пари, умереть с голоду, задавать вопросы, прийти в себя, дать сдачу, разменять купюру, мне пришлось сдаться, несомненно, заплатить за костюм, выразить свое удовлетворение, не теряя времени, дорогой отель, стать знаменитостью, смеяться над кем-либо, из уст в уста, делать попытку, не сомневаться, год за годом, под предлогом, привыкнуть к чему-либо, убедить кого-либо, оплатить расходы, взять отпуск.

2. Заполните пропуски правильной формой глагола в скобках.

1) They _____ (*to send*) away the servant. They _____ just _____ (*to finish*) their breakfast, and the sight of the remains of it almost _____ (*to overpower*) me.

2) Those two old brothers _____ (*to have*) a pretty hot argument a couple of days before, and _____ (*to end*) by agreeing to decide it by a bet.

3) Brother B _____ (*to go*) down to the Bank and _____ (*to buy*) that note.

4) Finally they _____ (*to tell*) me I _____ (*to answer*) their purpose.

5) I _____ (*to tell*) them, if they _____
(*to come*) back, but I _____ (*not/to expect*)
them. They _____ (*to say*) you _____
(*to be*) here in an hour to make inquiries, but I must
tell you, they _____ (*to be*) here on time.

6) If I _____ (*to win*) it you _____ (*to have*)
any situation that _____ (*to be*) in my gift.

7) Pretty soon I _____ (*to feel*) first-rate.

3. Заполните таблицу в соответствии с правилами чтения окончания -*ed*.

[t]	[d]	[ɪd]

carried, picked, watered, stopped, begged, detected,
puzzled, looked, hoped, bowed, appeared, passed, asked,
received, hustled, judged, smiled, followed, attempted.

4. Запишите предложения в вопросительной и отрицательной форме.

1) The fellow worked up a most sarcastic expression of
countenance.

2) I handed the note to him.

3) Harris was so grateful that he forced loans upon me.

4) I had money to spend, and was living like the rich
and the great.

5) But in the cheerful daylight the tragedy element
faded out and disappeared.

6) His cheerfulness vanished like a breath.

5. Соедините части предложений.

1) It's too much of a strain...
2) I want to hear...
3) I was perfectly honest and...
4) I told her we should have to wait...
5) There isn't a word of truth in what you say,...
6) You can save me, and you're the only...

a) but still I'll go with you.
b) on a person's curiosity.
c) the whole story.
d) man in the universe that can.
e) square with her.
f) a couple of years.

6. Заполните пропуски артиклями, там, где необходимо.

1) _____ Englishmen always eat _____ dinner before they go out to _____ dinner, because they know _____ risks they are running; but nobody ever warns _____ stranger, and so he walks placidly into _____ trap.

2) All the way home I was in _____ clouds, Hastings talking, I not hearing _____ word.

3) He had come to _____ England with what he thought was _____ grand opportunity.

4) I was right on _____ point of coming out with _____ words, "Lloyd, I'm _____ pauper myself".

5) When _____ month was up at last, I had _____ million dollars to my credit in _____ London and County Bank, and _____ Hastings was fixed in _____ same way.

6) And _____ only use I made of it was to buy _____ trifles and offer _____ bill in change.

7. Перескажите текст от лица:

а) одного из богатых господ;
б) главного героя;
в) невесты главного героя.

TAMING THE BICYCLE

1. Найдите в тексте английские эквиваленты слов и словосочетаний. Выпишите их.

обдумать, кратко пояснить, самое сложное в обучении, оставить напоследок, не стоять на пути, неопытный, поврежденный, помощник, так называемый, попытаться, убедительное доказательство, единственно правильный способ, держать равновесие, задержать дыхание, маленькая тренировка, простые требования, самоучка, в некотором роде, дважды, искать приключения, трехколесный велосипед, отпустить реплику.

2. Напишите транскрипцию слов. Выучите их.

bicycle, rode, surprise, machine, climbed, column, education, quite, notions, enough, strictly, several, considerable, incredible, accidents, sidewalk, familiar, necessary, cabbages.

3. Заполните пропуски подходящим словом или словосочетанием.

> I was able to inform him
> in some way useful
> interest and comment
> to see me practice
> took a daily lesson
> a great deal of

1) I think it makes _____ difference.

2) They all liked _____, and they all came, for there was very little going on in our neighborhood to entertain a dog.

3) During the eight days I _____ an hour and a half.

4) There are those who imagine that the unlucky accidents of life — life's "experiences" — are _____ to us.

5) Before taking final leave of me, my instructor inquired concerning my physical strength, and _____ that I hadn't any.

6) He was full of _____.

4. Составьте предложения с данными словами и словосочетаниями.

to be grateful to, a sharp lookout, content himself, it took time to learn, on your own responsibility, I couldn't help trying to do.

5. Поясните значение слов, выделенных курсивом.

1) We chose the back yard, *for the sake of privacy*, and went to work.

2) He found, to his surprise and joy, that *all that he needed to do* was to get me on to the machine and stand out of the way.

3) We applied some Pond's Extract, and *resumed*.

4) In a few more days *I was quite sound*.

5) In order *to keep my position*, a good many things were required of me.

6) You get up and do it again; and once more; and then *several* times.

6. Дополните предложения.

1) We examined the machine, but it was not in the least injured. This was ...

2) The Expert got out at last, brought four assistants with him. It was ...

3) The steps of one's progress are ...

4) Six more attempts and six more falls ...

5) It certainly does sound exceedingly easy; but ...

6) Then he left me, and I started out alone to ...

7. Перескажите текст.

English-Russian Vocabulary

a	adjective	прилагательное
adv	adverb	наречие
cj	conjunction	союз
n	noun	существительное
num	numeral	числительное
past	past tense	прошедшее время
pl	plural	множественное число
pron	pronoun	местоимение
p.p.	past participle	причастие прошедшего времени
prep	preposition	предлог
v	verb	глагол

A

abandoned [ə'bændənd] *a* заброшенный; покинутый

abate [ə'beɪt] *v* ослаблять, уменьшать; облегчать

abide [ə'baɪd] *v* (abided; abode) оставаться верным; придерживаться; ждать; выносить, терпеть

aboard [ə'bɔːd] *adv* на корабль; на корабле

abroad [ə'brɔːd] *adv* за границей; за границу

absurd [əb'sɜːd] *a* нелепый; абсурдный

accept [ək'sept] *v* принимать, брать

accident ['æksɪdənt] *n* случайность; несчастный случай; авария; by accident случайно, нечаянно

accommodation [ə,kɒmə'deɪʃn] *n* помещение, жилье, квартира; приют, убежище; соглашение; согласование; удобство; (*pl*) удобства (*в квартире*); ссуда

accustomed [ə'kʌstəmd] *a* привыкший; приученный; привычный, обычный

achieve [ə'tʃiːv] *v* достигать, добиваться; успешно выполнить; доводить до конца

achievement [ə'tʃiːvmənt] *n* достижение, успех

acknowledged [ək'nɒlɪdʒd] *a* признанный; авторитетный, общепризнанный

acquaintance [ə'kweɪntəns] *n* знакомство; знакомый; chance acquaintance случайный знакомый

acquire [ə'kwaɪə] *v* приобретать; достигать; овладевать (*навыком*)

acute [ə'kjuːt] *a* острый, сильный

adjacent [ə'dʒeɪsnt] *a* примыкающий, смежный, соседний

admire [əd'maɪə] *v* рассматривать с восхищением; восторгаться

admit [əd'mɪt] *v* допускать, принимать; be admitted быть принятым; впускать; позволять (*of*); допускать; признаваться

admonition [,ædmə'nɪʃən] *n* предостережение, настоятельный совет

advance [əd'vɑ:ns] *v* продвигаться; продвигаться вперед; *n* продвижение; in advance вперед, заранее

advantage [əd'vɑ:ntɪdʒ] *n* преимущество

adventure [əd'ventʃə] *n* приключение

adversity [əd'vɜ:sɪtɪ] *n* несчастья, бедствия; опала

advise [əd'vaɪz] *v* советовать

affair [ə'feə] *n* дело; (*pl*) дела, занятия

affidavit [ˌæfɪ'deɪvɪt] *n* письменное показание под присягой

afford [ə'fɔ:d] *v* (быть в состоянии) позволить себе (*в сочетании с* can, be able to); давать, приносить (доход)

affront [ə'frʌnt] *n* (публичное) оскорбление, унижение

aggravate ['ægrəveɪt] *v* отягчать, усугублять; ухудшать; огорчать

agitation [ˌædʒɪ'teɪʃən] *n* волнение; возбуждение; беспокойство; тревога

aisle [aɪl] *n* проход (*между рядами в церкви*)

alarm [ə'lɑ:m] *n* тревога

allowance [ə'lauəns] *n* разрешение, позволение; допущение; принятие во внимание; денежное пособие

although [ɔ:l'ðəu] *cj* хотя, если бы даже; несмотря на то, что

altitude ['æltɪtju:d] *n* высокое положение; высокий ранг

amazement [ə'meɪzmənt] *n* изумление, удивление

amount [ə'maunt] *n* количество; сумма, итог; значительность, важность

amply ['æmplɪ] *adv* обильно, богато; достаточно

amusement [ə'mju:zmənt] *n* развлечение, забава, увеселение

anguish ['æŋgwɪʃ] *n* мука, боль

announce [ə'nauns] *v* объявлять; извещать; оповещать; давать знать; докладывать

anonymous [ə'nɒnɪməs] *a* анонимный, неподписанный

answer ['ɑ:nsə] *n* ответ; *v* отвечать

anxiety [æŋ'zaɪətɪ] *n* тревога, беспокойство; страх; *pl* неприятности, заботы; страстное желание; стремление

apex ['eɪpeks] *n* верхушка, макушка

apologize [ə'pɒlədʒaɪz] *v* извиняться, просить прощения

apology [ə'pɒlədʒɪ] *n* извинение, просьба о прощении

apparently [ə'pærəntlɪ] *adv* видимо; явно, очевидно

appear [ə'pɪə] *v* появляться, показываться; казаться, производить впечатление

appointment [ə'pɔɪntmənt] *n* назначение; должность; встреча

appreciation [əˌpri:ʃɪ'eɪʃən] *n* высокая, положительная оценка; благоприятный отзыв

apprenticeship [ə'prentɪsʃɪp] *n* обучение, учение

approach [ə'prəutʃ] *n* подход

argument ['ɑ:gjumənt] *n* спор, довод

ashamed [ə'ʃeɪmd] *a* пристыженный; to be ashamed of smth стыдиться чего-л.

aslant [ə'slɑ:nt] *adv* косо, наискось

assignment [ə'saɪnmənt] *n* задание; командировка

assist [ə'sɪst] *v* помогать; оказывать содействие

assistant [ə'sɪstənt] *n* помощник, ассистент

assure [ə'ʃuə] *v* уверять, заверять (*кого-л.*)

asylum [ə'saıləm] *n* приют; убежище; сумасшедший дом

atrocious [ə'trəʊʃəs] *a* ужасный, жестокий, зверский

attempt [ə'tempt] *n* попытка, проба; *v* пытаться, стараться, делать попытку

attend [ə'tend] *v* посещать; присутствовать

attractive [ə'træktıv] *a* привлекательный; заманчивый

audacity [ɔ:'dæsıtı] *n* смелость, наглость

augment ['ɔ:gmənt] *v* усиливать; увеличивать, расширять

average ['ævərıdʒ] *a* средний, обычный

В

barking ['ba:kıŋ] *n* лай

barrel ['bærəl] *n* бочка, бочонок; баррель (*мера жидкости амер.* = 119 л)

beeves [bi:vz] *n pl* говядина

began [bı'gæn] *past om* begin

beggar ['begə] *n* нищий

begin [bı'gın] (began; begun) *v* начинать; начинаться

belong [bı'lɒŋ] *v* принадлежать (*to*); быть собственностью

besides [bı'saıdz] *adv* кроме того

bet [bet] *n* пари

bewitch [bı'wıtʃ] *v* заколдовать; очаровать

bitterly ['bıtəlı] *adv* горько

blanket ['blæŋkıt] *n* шерстяное одеяло

blunder ['blʌndə] *n* грубая ошибка; промах, просчет

bolster ['bəʊlstə] *v* (up) поддерживать, помогать

booty ['bu:tı] *n* добыча

borrow ['bɒrəʊ] *v* занимать; заимствовать

bother ['bɒðə] *v* беспокоить; надоедать, докучать; беспокоиться, волноваться; суетиться

bound [baʊnd] *a* назначенный; направляющийся

bow [baʊ] *v* кланяться; сгибаться

bribery ['braıbərı] *n* взяточничество

bring [brıŋ] (brought) *v* приносить, доставлять, приводить

briskly ['brısklı] *adv* живо, оживленно

brought [brɔ:t] *past u p. p. om* bring

brute [bru:t] *n* животное; скотина

С

calamity [kə'læmıtı] *n* бедствие

calm [ka:m] *a* спокойный; *v* успокаивать; calm down успокаиваться

cannon ['kænən] *n* пушка

canopy ['kænəpı] *n* балдахин

careful ['keəfʊl] *a* внимательный; осторожный

caricature [ˌkærıkə'tʃʊə] *v* изображать в карикатурном виде

catch [kætʃ] (caught) *v* схватить, поймать; уловить; to catch sight of заметить, увидеть

caught [kɔ:t] *past u p. p. om* catch

cause [kɔ:z] *n* причина

cautious ['kɔ:ʃəs] *a* осторожный, осмотрительный

celebrated ['selıbreıtıd] *a* знаменитый, выдающийся

certainty ['sɜ:tntı] *n* несомненный факт; уверенность

chance [tʃa:ns] *n* случай; случайность; возможность; удача, счастье; to miss the chance упустить возможность

change ['tʃeındʒ] *v* менять; изменять(ся); to change one's mind

передумать; *n* перемена; изменение

charge [tʃɑːdʒ] *n* обвинение; атака; цена; *v* обвинять; атаковать; назначать цену

charm [tʃɑːm] *n* обаяние; очарование; *v* очаровывать

cheat [tʃiːt] *v* жульничать, мошенничать

cheer [tʃɪə] *n* одобрительное или приветственное восклицание; веселье; радость; *v* ободрять; поощрять; аплодировать; cheer up ободрять

circumstance ['sɜːkəmstəns] *n (обыкн. pl)* обстоятельства; подробность; *pl* материальное положение

civility [səˈvɪlətɪ] *n* вежливость, любезность

clamour ['klæmə] *n* шум; крики; *v* шумно требовать (*to, for*); кричать

cleave [kliːv] (clove; cleft, cleaved) *v* пробираться, прокладывать себе путь

clew [kluː] *n* след, путеводная нить

climb [klaɪm] *n* подъем; *v* взбираться; подниматься

cobweb ['kɒbweb] *n* паутина

coil [kɔɪl] *v* наматывать, обматывать

common ['kɒmən] *a* общий; общественный; обыкновенный; заурядный; обычный; вульгарный

compel [kəmˈpel] *v* вынуждать; заставлять

competent ['kɒmpɪtənt] *a* компетентный

complete [kəmˈpliːt] *v* завершать, заканчивать

comprehend [ˌkɒmprɪˈhend] *v* понимать, постигать, осмысливать

conceive [kənˈsiːv] *v* постигать, понимать

concentrate ['kɒnsəntreɪt] *v* сосредоточивать; собирать; сосредоточиваться, собираться

conclusion [kənˈkluːʒn] *n* окончание; заключение

condescend [ˌkɒndɪˈsend] *v* снизойти, удостоить

condition [kənˈdɪʃn] *n* состояние; *pl* обстоятельства; условие; on condition that при условии, что; *v* обусловливать

confidence ['kɒnfɪdəns] *n* уверенность; смелость; доверие; конфиденциальное сообщение

confident ['kɒnfɪdənt] *a* уверенный; самонадеянный

confounded [kənˈfaʊndɪd] *a* смущенный, сбитый с толку

confront [kənˈfrʌnt] *v* противостоять, оказывать сопротивление; стоять лицом к лицу; сталкиваться лицом к лицу

connoisseur [ˌkɒnəˈsɜː] *n* знаток, эксперт

conscience ['kɒnʃəns] *n* совесть

consent [kənˈsent] *v* соглашаться, давать согласие

consequence ['kɒnsɪkwəns] *n* следствие (*логическое*); последствие; in consequence (*of*) вследствие чего; значение; важность

consider [kənˈsɪdə] *v* рассматривать; принимать во внимание; считаться; считать; полагать

consolation [ˌkɒnsəˈleɪʃn] *n* утешение

constantly ['kɒnstəntlɪ] *adv* непрерывно, постоянно

contain [kənˈteɪn] *v* содержать (*в себе*); сдерживать (*гнев, радость*)

continent ['kɒntɪnənt] *n* континент; the Continent континентальная часть Европы

convey [kənˈveɪ] *v* перевозить; переправлять; сообщать (*известие*); выражать (*мысль*)

convict [kən'vɪkt] *v* признавать виновным; осуждать; изобличать

convincing [kən'vɪnsɪŋ] *a* убедительный

cordially ['kɔːdɪəlɪ] *adv* сердечно; искренне; от всего сердца; дружелюбно, доброжелательно; вежливо

correct [kə'rekt] *a* правильный; точный; подходящий; *v* исправлять; делать замечания

cost [kɒst] (cost) *v* стоить, обходиться

countenance ['kauntənəns] *n* выражение лица; лицо

creature ['kriːtʃə] *n* создание; живое существо

cripple ['krɪpl] *v* портить, приводить в негодность

cruel [kruəl] *a* жестокий

curiosity [ˌkjuərɪ'ɒsətɪ] *n* любопытство

curious ['kjuərɪəs] *a* возбуждающий любопытство; необычный

D

dangle ['dæŋgl] *v* болтаться, свободно свисать, качаться

deal [diːl] *n* сделка, договоренность; a good deal много; a great deal очень много

debt [det] *n* долг

deceive [dɪ'siːv] *v* обманывать

decently ['diːsəntlɪ] *adv* скромно, благопристойно, сдержанно

decide [dɪ'saɪd] *v* решить, принять решение

decline [dɪ'klaɪn] *n* упадок, ухудшение; *v* отклонять (*предложение*); отказываться; уменьшаться; ухудшаться; приходить в упадок

deem [diːm] *v* полагать, думать, считать; признавать

deliberately [dɪ'lɪbərətlɪ] *adv* преднамеренно, умышленно

delicate ['delɪkət] *a* нежный; изящный

demand [dɪ'mɑːnd] *n* требование; запрос; *v* требовать

denial [dɪ'naɪəl] *n* отказ; отрицание, опровержение

depend [dɪ'pend] *v* зависеть (*on, upon*); полагаться

descent [dɪ'sent] *n* спуск, схождение, снижение; лестница, ступеньки

determine [dɪ'tɜːmɪn] *v* определять; устанавливать; обусловливать; решать(ся)

devastation [ˌdevəs'teɪʃn] *n* опустошение, разорение

diffidence ['dɪfɪdəns] *n* робость, скромность, неуверенность в себе

dimension [dɪ'menʃn] *n* измерение; *pl* размеры, величина

disappointed [ˌdɪsə'pɔɪntɪd] *a* разочарованный; обманутый

disaster [dɪ'zɑːstə] *n* бедствие; катастрофа

discomfit [dɪs'kʌmfɪt] *v* расстраивать (*планы*); наносить поражение

discomfort [dɪs'kʌmfət] *n* неловкость (*ситуации*)

discretion [dɪs'kreʃən] *n* свобода действий; свободный выбор

disheartening [dɪs'hɑːtənɪŋ] *a* приводящий в уныние; лишающий уверенности

dismal ['dɪzməl] *a* мрачный; унылый; гнетущий, тягостный

dispute [dɪs'pjuːt] *n* диспут; обсуждение; спор; *v* спорить; обсуждать

distraction [dɪ'strækʃn] *n* развлечение; отвлечение внимания

disturbance [dɪs'tɜːbəns] *n* беспокойство, тревога; возбуждение

disturbed [dɪ'stɜːbd] *a* взбудораженный, взволнованный

doubt [daʊt] *n* сомнение, колебание, нерешительность; no doubt несомненно

drift [drɪft] *v* сноситься, смещаться, сдвигаться

E

earn [ɜːn] *v* зарабатывать; заслуживать; приносить прибыль, дивиденды

earnest ['ɜːnɪst] *a* серьезный; важный; убежденный; искренний

elderly ['eldəlɪ] *n* пожилой

eloquent ['eləkwənt] *a* красноречивый, выразительный

embarrassed [ɪm'bærəst, em'bærəst] *a* смущенный; сконфуженный; сбитый с толку, растерянный

enclosure [ɪn'kləʊʒə] *n* ограждение; огороженное место

endorse [ɪn'dɔːs, en'dɔːs] *v* подтверждать, одобрять

enough [ɪ'nʌf] *a* достаточный; *n* достаточное количество; *adv* достаточно; довольно

entertain [ˌentə'teɪn] *v* развлекать

errand ['erənd] *n* поручение; задача; проблема

error ['erə] *n* заблуждение; ошибка

eventual [ɪ'ventʊəl] *a* возможный при известных обстоятельствах; окончательный

exalt [ɪg'zɔːlt] *v* превозносить; восхвалять, хвалить; прославлять

excitedly [ɪk'saɪtɪdlɪ] *adv* взволнованно; возбужденно

exist [ɪg'zɪst] *v* существовать; жить

expect [ɪk'spekt] *v* ожидать; надеяться; *разг.* предполагать

expedient [ɪk'spiːdɪənt] *a* целесообразный, соответствующий, подходящий

expense [ɪk'spens] *n* расход; *pl* издержки

expensive [ɪks'pensɪv] *a* дорогой, дорогостоящий, ценный

explain [ɪks'pleɪn] *v* пояснять, объяснять

explanation [ˌeksplə'neɪʃn] *n* объяснение

express [ɪk'spres] *v* выражать; *a* точно выраженный

expression [ɪk'spreʃn] *n* выразительность; экспрессия; выражение

F

faint [feɪnt] *v* падать в обморок, терять сознание

faith [feɪθ] *n* вера, доверие

falsehood ['fɔːlshʊd] *n* ложь, неправда; фальшь; ложное утверждение

fame [feɪm] *n* слава; известность; репутация

familiar [fə'mɪljə] *a* хорошо знающий (*что-л.*); осведомленный (*with*); хорошо известный (*to*); близкий

fault [fɔːlt] *n* недостаток; погрешность; ошибка; вина; проступок; *тех.* повреждение

favor ['feɪvə] *n* расположение; благосклонность; покровительство; одолжение; *v* относиться благосклонно; благоприятствовать

ferocious [fə'rəʊʃəs] *a* жестокий, свирепый; ужасный

fervent ['fɜːvənt] *a* горячий; пылкий

fetch [fetʃ] *v* принести; привести; сходить (*за кем-л., чем-л.*); приносить доход; выручать

fidelity [fɪ'delətɪ] *n* верность; точность

fight [faɪt] (fought) *v* сражаться, драться; вести бой

fill [fɪl] *v* наполнять, заполнять; насыщать; наполняться; исполнять

find [faɪnd] (found) *v* находить; обнаруживать; find out обнаружить, узнать; раскрыть

fit [fɪt] *a* годный; подходящий; готовый; *v* годиться, быть впору; оборудовать

fixed [fɪkst] *a* неподвижный; постоянный; назначенный; установленный

flatterer ['flætərə] *n* льстец

flutter ['flʌtə] *v* трепетать (*о сердце*); волноваться, беспокоиться

fold [fəuld] *n* складка; сгиб; *v* складывать; сгибать

follow ['fɒləu] *v* следовать; идти (за); заниматься (*чем-л.*); понимать

force [fɔ:s] *v* заставлять; вынуждать; force upon навязывать

forerunner ['fɔ:ˌrʌnə] *n* предвестник

fortnight ['fɔ:tnaɪt] *n* две недели

found [faund] *past u p. p. om* find

foundling ['faundlɪŋ] *n* найденыш, подкидыш

frankly ['fræŋklɪ] *adv* искренне; открыто; откровенно

frantic ['fræntɪk] *a* бешеный; неистовый

frightened ['fraɪtnd] *a* испуганный

fury ['fjuərɪ] *n* ярость; бешенство

G

gain [geɪn] *v* получать; приобретать; достигать; извлекать пользу

gait [geɪt] *n* походка

generous ['dʒenərəs] *a* щедрый; великодушный

giddiness ['gɪdɪnəs] *n* головокружение

gift [gɪft] *n* подарок; дар

giggle ['gɪgl] *v* хихикать

glimpse [glɪmps] *n* проблеск; at a glimpse мельком; беглый, мимолетный взгляд; *v* видеть мельком

glory ['glɔ:rɪ] *n* слава

gossip ['gɒsɪp] *n* болтовня; сплетни; *v* сплетничать

governor ['gʌvənə] *n* губернатор

gradually ['grædʒuəlɪ] *adv* постепенно

grateful ['greɪtful] *a* благодарный

gratitude ['grætɪtju:d] *n* благодарность

grave [greɪv] *n* могила

grieve [gri:v] *v* огорчать, глубоко опечаливать; горевать

grind ['graɪnd] (ground) *v* подавлять; угнетать

H

half [hɑ:f] *n* (*pl* halves) половина; half an hour полчаса

handle ['hændl] *v* трогать; брать руками; обходиться; обращаться (*с кем-л., чем-л.*); управлять; справляться

happen ['hæpən] *v* случаться, происходить

harbor ['hɑ:bə] *n* гавань; *перен.* убежище

humble ['hʌmbl] *a* покорный; смиренный; скромный

humiliation [hjuːˌmɪlɪ'eɪʃn] *n* унижение

hurt [hɜ:t] (hurt) *v* повредить; причинять боль; *перен.* задевать, обижать; болеть (*о руке, ноге и т. п.*)

hustle ['hʌsl] *v* толкать; проталкиваться (*сквозь толпу*); действовать быстро и энергично

I

ignorant ['ɪgnərənt] *a* невежественный; несведущий

immense [ɪ'mens] *a* необъятный; огромный; громадный

immutable [ɪ'mju:təbl] *a* неизменный; незыблемый

impending [ɪm'pendɪŋ] *a* грядущий, неминуемый, предстоящий

imperishable [ɪm'perɪʃəbl] *a* нерушимый, прочный, стойкий

implore [ɪm'plɔ:] *v* умолять, заклинать, упрашивать

importance [ɪm'pɔ:tns] *n* важность; значительность

impress *n* ['ɪmpres] отпечаток; впечатление; *v* [ɪm'pres] отпечатывать; штемпелевать; производить впечатление; внушать

improper [ɪm'prɒpə] *a* неподходящий, неуместный, ложный

income ['ɪnkəm] *n* доход; поступление

incompetent [ɪn'kɒmpɪtənt] *a* неспособный; некомпетентный

inconvenience [ˌɪnkən'vi:nɪəns] *n* неудобство; беспокойство; *v* причинять неудобство (*кому-л.*); беспокоить

incredible [ɪn'kredəbl] *a* невероятный

indefinitely [ɪn'defɪnətlɪ] *adv* неопределенно, неясно

indifferent [ɪn'dɪfrənt] *a* равнодушный; неважный; нейтральный

indignation [ˌɪndɪg'neɪʃn] *n* негодование, возмущение

infallible [ɪn'fæləbl] *a* безошибочный, непогрешимый

infamous ['ɪnfəməs] *a* имеющий позорную известность; низкий; бесчестный

ingenious [ɪn'dʒi:nɪəs] *a* изобретательный; искусный

inhospitable [ɪn'hɒspɪtəbl] *a* негостеприимный, враждебный

inquire [ɪn'kwaɪə] *v* справляться, спрашивать

inquiry [ɪn'kwaɪərɪ] *n* справка; вопрос; расследование

insist [ɪn'sɪst] *v* настаивать (*on, upon*); утверждать

instead [ɪn'sted] *adv* взамен; вместо (*of*)

insult [ɪn'sʌlt] *v* оскорблять; обижать

intent [ɪn'tent] *a* стремящийся (*on*); погруженный (*on*); занятый; внимательный

interrupt [ˌɪntə'rʌpt] *v* прерывать; мешать; препятствовать; преграждать

introduce [ˌɪntrə'dju:s] *v* вводить; представлять, знакомить

issue ['ɪʃu:] *n* издание; выпуск; *v* выходить; выпускать

J

jail [dʒeɪl] *n* тюрьма; break jail бежать из тюрьмы

judge [dʒʌdʒ] *n* судья

judicious [dʒu:'dɪʃəs] *a* благоразумный, здравомыслящий, разумный, рассудительный

jury ['dʒʊərɪ] *n* юр. присяжные

L

latter ['lætə] *a* недавний, более поздний, последний

lend [lend] (lent) *v* давать взаймы; одалживать

likewise ['laɪkwaɪz] *adv* также

linger ['lɪŋgə] *v* медлить; задерживаться

listlessly ['lɪstləslɪ] *adv* равнодушно, без интереса

loan [ləʊn] *n* заем

lodging ['lɒdʒɪŋ] *n* квартира; съемная комната

lofty ['lɒftɪ] *a* надменный

losing ['lu:zɪŋ] *n* потеря

lower ['ləʊə] *v* спускаться, опускаться

luxury ['lʌkʃərɪ] *n* роскошь

M

machinery [mə'ʃi:nərɪ] *n* механизм

malicious [mə'lɪʃəs] *a* злобный

manful ['mænfəl] *a* мужественный; отважный, решительный, смелый

marrow ['mærəʊ] *n*: to the marrow (of one's bones) до мозга костей; до глубины души

mean [mi:n] (meant) *v* значить; предназначать; иметь намерение; иметь в виду

meant [ment] *past u p. p. om* mean

meantime ['mi:ntaɪm] *adv*: for the meantime тем временем, между тем, пока

measure ['meʒə] *n* мера; мерка; *v* измерять; снимать мерку

meddle ['medl] *v* вмешиваться

mention ['menʃn] *n* упоминание; *v* упоминать

merciful ['mɜ:sɪfl] *a* милосердный

merely ['mɪəlɪ] *adv* просто, только; единственно

mischief ['mɪstʃɪf] *n* вред; зло; беда

misfortune [ˌmɪs'fɔ:tʃu:n] *n* несчастье; неудача

moan [məʊn] *n* стон; *v* стонать; жаловаться

modest ['mɒdɪst] *a* скромный; умеренный

murder ['mɜ:də] *v* убивать, совершать зверское убийство; *n* убийство

muscle ['mʌsl] *n* мускул; мышца

mysterious [mɪ'stɪərɪəs] *a* таинственный; загадочный

N

neither ['naɪðə] *a* никакой; *adv* также не; тоже не; *cj*: neither ... nor ни ... ни

nettle ['netl] *v* раздражать, сердить; побуждать

nickname ['nɪkneɪm] *n* прозвище

nobby ['nɒbɪ] *a* изящный, элегантный; ультрамодный; нарядный

noble ['nəʊbl] *a* благородный; знатный

nod [nɒd] *v* кивать головой

nonsense ['nɒnsəns] *n* бессмыслица, вздор, ерунда, чепуха

notoriety [ˌnəʊtə'raɪətɪ] *n* дурная слава

notwithstanding [ˌnɒtwɪð'stændɪŋ] *prep* несмотря, вопреки

novice ['nɒvɪs] *n* новичок

O

occur [ə'kɜ:] *v* происходить, случаться

office ['ɒfɪs] *n* назначение, функция

oil [ɔɪl] *v* смазывать маслом

ordinary ['ɔ:dnrɪ] *a* обычный

own [əʊn] *v* владеть; допускать; признаваться (*в чем-л.*); own up *разг.* откровенно признаваться; *a* свой; собственный

P

parlor ['pɑ:lə] *n* гостиная

peer [pɪə] *v* всматриваться; вглядываться; показываться

perch [pɜ:tʃ] *v* усесться, взгромоздиться

perfect [pə'fekt] *v* совершенствовать; *a* ['pɜ:fɪkt] совершенный, безупречный, прекрасный; абсолютный

perform [pə'fɔ:m] *v* выполнять; совершать

perjury ['pɜ:dʒərɪ] *n* клятвопреступление, лжесвидетельство

perpetuate [pə'petʃʋeɪt] *v* увековечивать

persecute ['pɜ:sɪkju:t] *v* преследовать; подвергать гонениям

perspire [pə'spaɪə] *v* потеть

persuade [pə'sweɪd] *v* убеждать; уговаривать, склонять

petrified ['petrɪfaɪd] *a* ископаемый

plead [pli:d] (pleaded, pled) *v* выступать в суде; умолять

ponder ['pɒndə] *v* обдумывать; размышлять; взвешивать

possession [pə'zeʃən] *n* владение, обладание; *pl* имущество

precious ['preʃəs] *a* драгоценный

pretend [prɪ'tend] *v* притворяться; претендовать, иметь виды (*на что-л.*)

private ['praɪvət] *a* частный; личный; секретный; уединенный

proceed [prə'si:d] *v* продолжать; происходить; переходить

procession [prə'seʃn] *v* участвовать в процессии

profit ['prɒfɪt] *n* польза; выгода; прибыль, доход; *v* приносить выгоду; извлекать пользу

prominent ['prɒmɪnənt] *a* выдающийся, знаменитый, известный

promise ['prɒmɪs] *n* обещание; *v* обещать

property ['prɒpətɪ] *n* имущество; собственность; земельная собственность

proprietor [prə'praɪətə] *n* владелец, собственник

prove [pru:v] *v* доказывать; удостоверять; испытывать; пробовать

punish ['pʌnɪʃ] *v* наказывать

purpose ['pɜ:pəs] *n* намерение, цель

pursue [pə'sju:] *v* преследовать; гнаться

Q

quantity ['kwɒntətɪ] *n* количество; *pl* множество; изобилие

quarrel ['kwɒrəl] *v* ссориться

quench ['kwentʃ] *v* утолять (*жажду*)

quite [kwaɪt] *adv* вполне, совершенно

R

ragged ['rægɪd] *a* рваный, изорванный (*в клочья*); истрепанный

rancour ['ræŋkə] *n* злоба, затаенная ненависть

rebuke [rɪ'bju:k] *n* упрек; выговор

recede [rɪ'si:d] *v* отступать; удаляться, ретироваться

recruit [rɪ'kru:t] *v* поправиться, окрепнуть; укрепить (*здоровье*)

refer [rɪ'fɜ:] *v* направлять (*к кому-л.*); ссылаться (*на что-л.*); иметь отношение; относиться (*к чему-л., кому-л.*)

refuse [rɪ'fju:z] *v* отказывать; отказываться

regret [rɪ'gret] *v* сожалеть; раскаиваться

reject [rɪ'dʒekt] *v* отклонять; отвергать

relative ['relətɪv] *n* родственник

relieve [rɪ'liːv] *v* облегчать; выручать; сменять

remain [rɪ'meɪn] *v* оставаться

remainder [rɪ'meɪndə] *n* оставшаяся часть

remark [rɪ'mɑːk] *n* замечание; заметка; *v* замечать

repair [rɪ'peə] *n* починка; *v* чинить; ремонтировать; исправлять

reparation [ˌrepə'reɪʃn] *n* компенсация, возмещение

repeater [rɪ'piːtə] *n* незаконно голосующий несколько раз на выборах

reposeful [rɪ'pəʊzfl] *a* успокаивающий; спокойный

reproach [rɪ'prəʊtʃ] *n* упрек; укор; *v* упрекать; укорять

responsibility [rɪˌspɒnsə'bɪlətɪ] *n* ответственность

restore [rɪ'stɔː] *v* возвращать; восстанавливать

result [rɪ'zʌlt] *n* результат; as a result в результате

resume [rɪ'zjuːm] *v* возобновлять

retort [rɪ'tɔːt] *v* резко возражать

retribution [ˌretrɪ'bjuːʃn] *n* возмездие, кара, воздаяние

reward [rɪ'wɔːd] *n* награда

riddle ['rɪdl] *n* загадка

ridiculous [rɪ'dɪkjələs] *a* нелепый; смехотворный

roll [rəʊl] *v* вращать(ся); катить(ся); качаться; свертывать; завертывать

ruin ['rʊɪn] *n* гибель; развалина; *v* разрушать; портить, губить; разорять

S

sacred ['seɪkrɪd] *a* священный

saddle ['sædl] *n* седло

salary ['sælərɪ] *n* жалованье

sample ['sɑːmpl] *v* испытывать, пробовать

sarcastic [sɑː'kæstɪk] *a* саркастический

satisfaction [ˌsætɪs'fækʃn] *n* удовлетворение

scratch [skrætʃ] *n* царапина; *v* царапать, скрести; чесать; царапаться

seek [siːk] (sought) *v* искать, разыскивать

seize [siːz] *v* захватывать, завладевать; конфисковать; хватать, схватить

send [send] (sent) *v* отправлять, посылать

servant ['sɜːvənt] *n* слуга, прислуга

service ['sɜːvɪs] *n* служба; сервис; услуга, одолжение

several ['sevrəl] *a* несколько; отдельный

shabby ['ʃæbɪ] *a* поношенный, оборванный

shake [ʃeɪk] (shook; shaken) *v* трясти, встряхивать; shake hands обменяться рукопожатием; пожать руку

shameful ['ʃeɪmfəl] *a* постыдный, скандальный

shelter ['ʃeltə] *n* укрытие

shock [ʃɒk] *n* копна

shook [ʃʊk] *past* от shake

shroud [ʃraʊd] *n* саван

shudder ['ʃʌdə] *v* вздрагивать, содрогаться; бросать в дрожь

signature ['sɪgnətʃə] *n* подпись

since [sɪns] *prep* с; *cj* с тех пор как; так как, поскольку

sincere [sɪn'sɪə] *a* искренний, чистосердечный

single ['sɪŋgl] *a* один; единственный

slander ['slɑːndə] *n* клевета; опорочивание

sole [səʊl] *a* единственный

solid ['sɒlɪd] *a* крепкий; прочный; основательный, убедительный

solitary ['sɒlɪtrɪ] *a* одинокий; уединенный

spectacle ['spektəkl] *n* спектакль, зрелище

starve [stɑːv] *v* голодать, умирать от голода

straight [streɪt] *a* прямой; правильный; *adv* прямо

stranger ['streɪndʒə] *n* иностранец; незнакомец; посторонний человек

struggle ['strʌgl] *n* борьба; *v* бороться; прилагать все усилия

stupendous [stjuːˈpendəs] *a* изумительный, громадный; огромной важности

suffer ['sʌfə] *v* страдать; испытывать; терпеть, сносить

suit [sjuːt] *n* костюм; *v* годиться; соответствовать, подходить

sure [ʃɔː, ʃʊə] *a* уверенный (*в чем-л. of*); верный, надежный; make sure убедиться, удостовериться в чем-л.

surprise [səˈpraɪz] *n* удивление; неожиданность; сюрприз; take by surprise захватить врасплох

suspicion [səˈspɪʃən] *n* подозрение

swallow ['swɒləʊ] *n* глоток; at a swallow залпом; *v* глотать

T

tell [tel] (told) *v* отличить

think [θɪŋk] (thought) *v* думать; мыслить; считать, полагать; think over обсудить, обдумать

thought [θɔːt] *past и p. p. от* think

threaten ['θretn] *v* грозить, угрожать

tick [tɪk] *n* тиканье; *v* тикать

toll [təʊl] *n* колокольный звон; благовест

touch [tʌtʃ] *v* соприкасаться; дотрагиваться; касаться

trail [treɪl] *n* след

traitor ['treɪtə] *n* предатель, изменник

tramp [træmp] *n* бродяга

treasure ['treʒə] *n* сокровище; клад

tremendously [trɪˈmendəslɪ] *adv* огромно, потрясающе

trepidation [ˌtrepɪˈdeɪʃn] *n* трепет, дрожь; тревога, беспокойное состояние

trifle ['traɪfl] *n* пустяк; безделица

trouble ['trʌbl] *n* неприятность; беда; беспокойство

tusk [tʌsk] *n* бивень (*слона*)

twice [twaɪs] *adv* дважды

U

undercurrent ['ʌndəˌkʌrənt] *n* скрытая тенденция

understand [ˌʌndəˈstænd] (understood) *v* понимать; подразумевать; предполагать

useless ['juːsləs] *a* бесполезный

usher ['ʌʃə] *n* вестник, предвестник

V

valuable ['væljʊəbl] *a* ценный

vanish ['vænɪʃ] *v* исчезать, пропадать

vengeance ['vendʒəns] *n* месть

venture ['ventʃə] *n* рискованное предприятие; *v* рисковать; отваживаться

verdict ['vɜːdɪkt] *n* приговор; обдуманное решение

verge [vɜːdʒ] *n* край; грань; предел; *v* граничить; verge on smth граничить с чем-л.; приближаться к (*to, towards*)

verify ['verɪfaɪ] *v* проверять; подтверждать

vicious ['vɪʃəs] *a* порочный; злобный; ошибочный

W

waistcoat ['weɪskəut] *n* жилет

wander ['wɒndə] *v* скитаться; бродить; быть рассеянным

waste [weɪst] *n* бесполезная трата; *v* тратить зря; расточать; *a* опустошенный; ненужный

waver ['weɪvə] *v* колебаться; дрогнуть

wear [weə] (wore; worn) *v* носить (*одежду и т. п.*); надевать; изнашивать

whirl [wɜːl] *n* вращение; кружение; вихрь; *v* вертеть(ся); кружить(ся); проноситься; мчаться

whistle ['wɪsl] *n* свист; свисток; *v* свистеть; насвистывать

wicked ['wɪkɪd] *a* злой; плохой; безнравственный; вредный; злонамеренный

widow ['wɪdəu] *n* вдова

win [wɪn] (won) *v* выигрывать; побеждать; убедить; расположить к себе

wire ['waɪə] *v* посылать, отправлять

wish [wɪʃ] *n* желание; *v* желать

within [wɪˈðɪn] *cj* внутри, в пределах; в пределах указанного времени

witness ['wɪtnɪs] *n* свидетельство; свидетель

wonder ['wʌndə] *v* удивляться; желать знать

woods [wudz] *n* лес

worship ['wɜːʃɪp] *n* богослужение; поклонение; обожание; *v* поклоняться; обожать; почитать

worthy ['wɜːðɪ] *a* достойный

wrinkle ['rɪŋkl] *n* морщина; *v* морщить; морщиться